Les Carradine : une destinée royale

Dernières nouvelles du Korosol !

Le petit royaume situé entre la France et l'Espagne est en pleine effervescence depuis que le vieux roi Easton, gravement malade, a annoncé sa décision de se retirer. Mais avant cela, le souverain doit désigner un successeur au trône — une tâche difficile, dans la mesure où ses fils sont morts, et que ses petits-enfants habitent à présent aux Etats-Unis. Aussi affaibli soit-il, le roi Easton est pourtant prêt à faire le voyage outre-atlantique, avec la ferme intention de ramener avec lui celui ou celle qui sera digne de le remplacer.

Il ignore que là-bas, le destin va lui réserver bien des surprises…

A vous de les découvrir en retrouvant chaque mois la destinée de la presti[...] des Carradine !

La captive du palais

JULIE MILLER

La captive du palais

COLLECTION AZUR

*éditions*Harlequin

Cet ouvrage a été publié en langue anglaise
sous le titre :
THE DUKE'S COVERT MISSION

Traduction française de
JEAN-BAPTISTE ANDRÉ

HARLEQUIN®

est une marque déposée du Groupe Harlequin
et Azur ® est une marque déposée d'Harlequin S.A.

© 2002, Harlequin Books S.A. © 2004, Traduction française : Harlequin S.A.
83-85, boulevard Vincent-Auriol, 75013 PARIS — Tél. : 01 42 16 63 63
Service Lectrices — Tél. : 01 45 82 47 47
ISBN 2-280-20341-3 — ISSN 0993-4448

Prologue

— Je suis la princesse Lucia Carradine du Korosol.

« Menteuse ».

Debout sur le trottoir, Eleanor Standish secoua la tête et tira la langue à son reflet dans le miroir de son poudrier de poche. Elle n'avait pas l'impression d'être une princesse. Et ce n'était pas la transformation complète que lui avaient offerte ses nouvelles amies, les princesses Celia, Amelia et Lucia Carradine, qui allait changer les choses.

Le coiffeur de Celia avait éclairci quelques mèches de ses cheveux châtains avant de les remonter en un chignon sophistiqué et, elle devait bien l'admettre, du plus bel effet. Amelia avait pour sa part réservé tout le personnel d'un Spa très huppé qui s'était occupé d'elle durant un après-midi entier et l'avait massée, exfoliée, hydratée, manucurée. Quant à Lucia, la cadette des trois sœurs, elle lui avait prêté la magnifique robe rouge et les bijoux qu'elle portait, en sus de lui céder son invitation personnelle pour l'un des événements mondains de la saison, le bal de l'Inferno. Il fallait dire que Lucia avait mieux à faire que d'y assister, puisqu'elle était sur le point de partir en lune de miel avec son nouveau mari.

Princesse d'un soir. C'était un rêve !

Pourtant, Ellie réprima un soupir et tira sur le bustier de sa robe dans un effort désespéré pour le faire remonter.

— Tu parles d'un rêve…, murmura-t-elle.

Elle ressemblait peut-être à une princesse, mais elle était au fond toujours cette secrétaire timide qui avait grandi dans une ferme des montagnes occidentales du Korosol. Cette jeune femme réservée qui avait rêvé d'aventure quand elle ne s'occupait pas de la comptabilité de ses parents ou ne poursuivait pas un mouton dans les pâturages. La bonne fille qui avait mis de côté ses rêves de grandeur pour rester près de sa famille, après que son frère Nick avait décidé de partir sauver le monde à lui tout seul.

Les trois fées Carradine l'avaient peut-être transformée extérieurement, mais aucune magie n'était assez forte pour changer également son caractère, et lui donner l'assurance qui lui avait toujours manqué.

Ellie regarda de nouveau son reflet et, se demandant si elle y croirait la seconde fois, répéta :

— Je suis la princesse Lucia Carradine du Korosol.

— Votre Altesse ?

De surprise, elle lâcha son poudrier en entendant la voix qui venait de résonner tout près d'elle. Il roula à ses pieds sur le trottoir, et elle leva nerveusement une main pour remonter ses lunettes sur son nez.

Geste inutile car, exceptionnellement, elle ne portait pas les grosses montures et les verres épais derrière lesquels elle aimait à se cacher. Ce soir, elle portait des lentilles, et le monde ne s'arrêtait plus au bout de son nez…

Dans un bruissement de taffetas, elle se baissa pour ramasser son poudrier, mais l'homme en uniforme de chauffeur fut plus rapide.

— Désolé, je ne voulais pas vous faire peur.

Ellie lui adressa un sourire crispé. C'était un homme d'âge moyen, aux cheveux blonds et à la mine affable. Il n'était pas désagréable à regarder, malgré son léger embonpoint et l'odeur de cigarette qui se dégageait de son uniforme.

— Tenez, votre poudrier.

Ses doigts gantés de noir effleurèrent ceux d'Ellie. Etait-il le prince charmant dont elle avait rêvé pour ce soir ? L'un de ces Américains que l'on voyait dans les films ? Un vaurien au cœur d'or ? Certes, il ne lui tendait pas une pantoufle de vair, mais le poudrier qui avait appartenu à sa marraine, la regrettée reine Cassandra, épouse du roi Easton.

Son cœur se mit à battre plus vite, son esprit s'emballa. Peut-être était-il un prince déguisé. Il allait l'emmener dans une longue limousine noire, lui servir du champagne, la faire danser au bal…

— Merci.

Elle n'était pas très douée pour la conversation, mais au moins avait-elle réussi à parler.

— Permettez.

Le chauffeur lui offrit sa main. Ellie la prit et se laissa guider vers la voiture. Etait-ce le moment où le prince charmant l'emmenait vers des aventures merveilleuses ?

Hélas, le rêve disparut bientôt pour laisser place à la réalité. Car le regard de son compagnon se focalisa sur un point situé bien en-dessous de ses yeux. Plus précisément sur le généreux décolleté de la robe.

Tant pis pour le prince charmant.

Outrée, Ellie dégagea sa main et tira sur son étole de soie pour dissimuler sa poitrine. Puis, levant le menton en une attitude qu'elle espérait princière, elle demanda :

— Où est Paulo ?

Paulo était le chauffeur habituel des Carradine, un jeune homme efficace et, surtout, discret !

— Je suis juste un intérimaire, répondit le chauffeur en haussant les épaules. J'ignore pourquoi votre Paulo n'était pas disponible. On m'a juste appelé pour le remplacer.

— Et vous connaissez le chemin pour aller au bal de l'Inferno ? s'enquit-elle en serrant le sac à main brodé qui contenait son invitation.

Il sourit. Cette fois, il lui parut beaucoup moins charmant.

— Oui, Votre Altesse. J'ai mes instructions.

Après une hésitation, Ellie prit enfin place à l'arrière, ramenant sa longue robe sur ses jambes avant que le chauffeur puisse se pencher pour l'aider.

Votre Altesse.

Qui d'autre que ce grossier personnage se laisserait prendre au piège, et la prendrait pour une vraie princesse ?

Elle fronça les sourcils et se rappela que cette soirée était la sienne. Les Carradine avaient fait beaucoup pour elle et, sous peu, elle retournerait au Korosol, petit royaume niché entre la France et l'Espagne. Elle avait l'occasion d'être Cendrillon, l'espace d'une nuit, et elle devait en profiter.

Elle prit donc une flûte à champagne dans le bar de la limousine et, sans la remplir – elle tenait à garder les idées claires –, la leva en un toast imaginaire.

— Je suis la princesse Lucia Carradine.

Elle laissa son étole glisser jusqu'au creux de ses bras. C'était ainsi que la porterait une princesse. Puis elle s'absorba un instant dans la contemplation du reflet de ses bijoux, diamants et rubis, dans les vitres fumées de la limousine.

Ce fut alors qu'elle remarqua les hauts buildings qui défilaient à l'extérieur. Intriguée, elle se pencha pour cogner à la vitre qui la séparait du chauffeur.

— Vous êtes sûr que c'est la bonne direction ? J'ai un assez bon sens de l'orientation et nous allons plein nord. L'Inferno est à l'est.

Le chauffeur marmonna quelque chose avant de lui sourire dans le rétroviseur.

— Je suis obligé de prendre un détour. Il y a des travaux. Ne vous en faites pas, je vous emmène où vous êtes attendue.

— Je l'espère. Je ne voudrais pas être en retard.

— Rassurez-vous, nous sommes presque arrivés.

La vitre coulissa et se ferma avant qu'elle ait pu lui demander le nom de la rue où ils se trouvaient. Ellie faillit frapper de nouveau, avant de se rappeler qu'une princesse ne ferait sans doute pas une chose pareille, puis se rassit.

Mais un étrange malaise, qui n'avait rien à voir avec la timidité, montait en elle. Les lumières de la ville, qui lui avaient paru jusque-là scintiller avec glamour, semblaient à présent clignoter comme autant de signaux d'alarme.

Elle s'agita dans son siège, tira nerveusement sur son décolleté pour le remonter. Une nouvelle fois, ce n'était pas ainsi qu'une princesse devait se comporter. Une princesse était naturellement à l'aise en toutes circonstances.

Elle prit une profonde inspiration, du moins autant que le lui permettait une robe d'une taille trop petite, et répéta :

— Je suis la prin…

La limousine s'arrêta soudain. Pour la seconde fois, Ellie fit mine de repousser ses lunettes avant de se rappeler qu'elle n'en portait pas.

— Tout ce que je veux, murmura-t-elle, c'est une danse.

Une danse. Une valse. La tâche n'était pas trop ardue et elle sourit, rassérénée. Même si personne ne l'invitait et qu'il lui fallait entraîner un serveur, elle aurait sa danse.

Après quoi elle prendrait ses jambes à son cou avant de se ridiculiser totalement.

— Princesse Lucia ?

La porte s'ouvrit et le chauffeur lui tendit la main pour l'aider à descendre. Ellie la prit, s'efforçant d'arborer une mine régalienne.

Cette expression disparut sitôt qu'elle eut mis pied à terre. Où était le tapis rouge ? Les photographes ? Le portier en gants blancs censé annoncer son arrivée ?

Et que faisait cette pompe à essence au milieu du parking ?

Ellie se gratta la tempe. Que faisait-elle dans un parking ?

— Chauffeur ?

Elle se retourna, mais l'intéressé avait disparu à l'avant de la voiture. Elle le suivit, et son inquiétude se changea en franche suspicion.

— Nous avons besoin d'essence, c'est ça ?

Elle contourna l'avant de la voiture, et poussa un cri de surprise. Un homme immense venait de sortir de l'ombre et s'avançait vers elle.

— Chauffeur ! s'écria-t-elle.

L'homme était entièrement vêtu de noir, et son visage était dissimulé par un bas. Deux larges mains gantées de noir se refermèrent sur elle.

— Laissez-moi tranquille ! hurla-t-elle.

Elle fit un bond en arrière, pivota, mais se heurta aussitôt à un autre homme.

— Non !

Massif et de deux têtes plus petit que le géant, le nouveau venu était habillé à l'identique. Il l'agrippa par les épaules avant de la projeter dans les bras du colosse.

— Fiche-la dans le coffre.

Les bras du géant la ceinturèrent et lui coupèrent la respiration. L'autre homme lui fourra un tissu dans la bouche, étouffant ses cris. Le gros plaça une main sur son visage et, d'un seul bras, la souleva comme un sac. Ellie se débattit, tentant désespérément de respirer. Une violente odeur d'éther assaillit ses narines, des larmes lui coulèrent des yeux.

Elle vit le petit homme qui courait devant eux vers un coin sombre de la station-service souterraine, visiblement abandonnée.

Un instinct de survie dont elle ignorait l'existence vint alors à son secours. Elle se tordit, se débattit, et parvint à planter le talon de ses escarpins dans le tibia de la brute, qui lâcha un juron étouffé. Cette petite victoire donna un regain de forces à Ellie, et elle parvint à se dégager de son emprise. Elle tomba à genoux sur le sol de béton. Ignorant la douleur qui remonta jusqu'à son crâne, elle arracha son bâillon et cria à pleins poumons.

— Fais-la taire !

Elle voulut ramper, mais sa robe et ses jupons se prirent dans les pieds du géant et le firent trébucher. Il s'affala, et elle ne l'évita que de justesse en roulant sur le côté. Puis, au prix d'un effort surhumain, elle parvint à se mettre sur ses pieds.

Mais elle n'alla pas loin. Sa tête tournait, le parking s'assombrissait, ses forces la désertaient. Paniquée, elle frappa, griffa les mains qui la soulevaient sans douceur et la conduisaient vers une autre voiture. Un troisième homme en sortit et ouvrit le coffre.

Ses ravisseurs l'y lâchèrent sans douceur. Elle atterrit à côté d'une bâche noire, le souffle coupé. Elle s'y agrippa instinctivement pour se redresser mais ne parvint qu'à la faire glisser, révélant un visage d'une pâleur mortelle et deux yeux grands ouverts sur l'éternité.

Ellie hurla.

Mais Paulo Giovanni, le chauffeur des Carradine, ne l'entendit pas.

— Fais-la taire, bon sang !

Quelque chose la piqua soudain entre les omoplates, et elle poussa un petit cri entre deux sanglots. Ses doigts devinrent instantanément gourds, et un brouillard se referma sur elle.

Le coffre claqua enfin, les ténèbres l'engloutirent. Alors qu'elle sombrait dans l'inconscience, une dernière idée lui traversa l'esprit.

Elle n'avait pas eu sa danse.

1.

Le froid la réveilla. Elle s'étira sur quelque chose de dur et ouvrit les yeux. Ses paupières accrochèrent ses lentilles desséchées, et elle roula sur le côté pour voir où elle se trouvait. Une matière rugueuse lui râpa la joue.

Sa tête lui faisait mal, le froid lui hérissait la peau. L'air était humide et sentait le renfermé. Le tissu qui l'enveloppait, pourtant, était doux, presque réconfortant. Elle s'y blottit, tentant d'y trouver un semblant de chaleur.

Alors elle se souvint.

Sa robe rouge. Cendrillon. Les hommes masqués. Les yeux vides de Paulo.

Chaque image la ramena progressivement à l'état d'éveil.

— Oh, mon Dieu…

On l'avait kidnappée. Un cri silencieux monta de ses poumons. Encore groggy, elle posa ses deux mains à plat sur le sol de béton et se redressa en position assise. Il lui semblait que des boules de marbre roulaient à l'intérieur de son crâne pour en heurter les parois. Lorsque leur ballet se calma, elle rouvrit les yeux et regarda autour d'elle.

Elle se trouvait dans une cave. Une chaudière rouillée en occupait un coin, une volée de marches à claire-voie en bois montait jusqu'à un plancher disjoint au-dessus d'elle. Deux petits soupiraux percés dans le mur de parpaing laissaient entrer un jour sale dans les murs de sa tombe.

Bon, elle avait résolu la question du où et du comment. Restait celle du pourquoi.

Qui pouvait en vouloir à une innocente secrétaire ? Elle n'était qu'une femme parfaitement banale et...

Une femme.

L'espace d'une seconde, un horrible doute l'assaillit. Elle avait été droguée. L'avait-on également...

Elle porta une main à sa poitrine et se força à respirer. Elle était courbatue et terrifiée. Mais on ne l'avait pas touchée.

Elle inspira profondément, tentant de calmer les battements affolés de son cœur, jugulant la panique. C'en était fait de sa soirée de rêve. A en juger par la lumière qui filtrait par les fenêtres graisseuses, la nuit était de toute façon finie depuis longtemps.

Sa robe de Cendrillon était en lambeaux. Elle était déchirée à la taille, et une main y avait laissé une empreinte d'huile et de cambouis. Cinquante centimètres de satin pendaient du jupon assorti. L'une des bretelles était arrachée, et le bustier ne tenait plus que par l'autre et la force des armatures. En un geste de pudeur instinctive, elle le remonta.

Ce fut alors qu'elle s'aperçut qu'on lui avait volé son collier. Ses boucles avaient également disparu. Fébrilement, elle chercha sur ses cheveux la tiare de Lucia. Evanouie elle aussi. Ainsi que le sac dans lequel se trouvait sa propre montre en argent.

— Oh non...

Ellie se frotta les avant-bras, oublieuse des bleus qui marquaient sa peau. Elle avait été dépouillée.

Des larmes lui montèrent aux yeux. Cela n'avait aucun sens. Certes, les bijoux étaient faits de diamants et rubis.

Mais il y en avait sans doute eu de bien plus précieux au bal ! Quelque chose ne collait pas. Paulo assassiné. Elle droguée, puis abandonnée là.

Abandonnée.

Elle remarqua enfin le silence et la panique revint en force.

— Ohé !

L'écho lui renvoya son cri, puis les ténèbres humides l'absorbèrent.

New York était une ville où l'on entendait toujours du bruit, que ce soit celui de la circulation, des conversations, des climatiseurs, des téléphones, des hélicoptères.

Ici, il n'y avait rien. Rien que le silence qui battait contre ses tympans.

Elle n'était plus à New York.

Elle se releva d'un bond, horrifiée.

— Ohé !

On l'avait abandonnée au beau milieu de nulle part. Abandonnée ! Ses dents se mirent à claquer, autant de froid que de peur. Seule. Délaissée. Oubliée.

— Au secours !

Elle se précipita vers l'escalier, mais quelque chose la retint brusquement et elle s'affala de tout son long. Elle en eut le souffle coupé pendant quelques secondes, mais la douleur n'était rien en comparaison du cliquetis menaçant d'une chaîne derrière elle. Ellie se redressa en position assise et souleva fébrilement l'ourlet de sa jupe.

— Non !

Ses doigts trouvèrent ses tempes lorsqu'elle voulut une nouvelle fois remonter des lunettes absentes.

Un bracelet de métal lui enserrait la cheville gauche. Une chaîne toute neuve, aux maillons gros comme des balles de golf, y était attachée par un cadenas. A l'autre extrémité, un autre cadenas la retenait à un anneau scellé dans le sol.

Comme l'un des éléphants qu'elle avait vus au Cirque royal du Korosol l'année passée.

A l'instar du pauvre animal, elle se releva et alla aussi loin que sa chaîne le lui permettait. Quiconque l'avait attachée ainsi avait soigneusement calculé son coup. Car même avec sa jambe complètement en arrière et les mains tendues au maximum, elle était encore à un bon mètre des escaliers. Les seules choses à sa portée étaient la chaudière désaffectée et un tabouret de bois.

Ellie s'y laissa tomber et serra ses bras autour d'elle, refusant de céder aux larmes.

— Tu vas trouver quelque chose, ma grande.

Son petit discours fut de piètre utilité, car l'écho de sa voix lui rappela à quel point elle était seule.

— Tu vas sortir d'ici, ajouta-t-elle cependant.

La question était : « Comment ? »

Ses bijoux, son sac et même ses chaussures avaient disparu. Tout ce qui pouvait lui servir d'arme lui avait été retiré. Ses clés, sa petite bombe de gaz lacrymogène, ses talons hauts.

Elle se redressa soudain, s'agrippant à une minuscule lueur d'espoir. S'ils l'avaient désarmée, cela signifiait que ses ravisseurs allaient revenir. Ils ne l'avaient pas abandonnée.

Comme si le seul fait d'avoir pensé à eux les avait invoqués, elle entendit une clé tourner dans la serrure en haut des marches. Elle se releva aussitôt et se plaça derrière le tabouret, seul obstacle entre elle et ses visiteurs.

La porte s'ouvrit et une ampoule nue, pendant à son fil électrique, s'alluma en bas de l'escalier, créant autour d'elle

18

un halo poussiéreux. Un pas lourd se fit entendre et une silhouette noire apparut, souple, gracile, prédatrice.

Ellie plissa les yeux pour voir de qui il s'agissait, mais son visiteur s'était immobilisé dans l'ombre. Enfin, il pénétra dans le cercle de lumière, et elle constata qu'il portait une cagoule noire qui ne laissait voir que ses yeux.

Elle se mit à trembler comme il s'avançait vers elle, paraissant emplir davantage la pièce à chaque pas.

— N'approchez pas !

Il s'immobilisa. Elle ne distinguait pas très clairement ses yeux, dans les jeux d'ombre et de lumière, mais elle sentait son regard peser sur elle. Elle en eut la chair de poule, aussi sûrement que s'il l'avait touchée.

— Qu'est-ce que vous me voulez ? demanda-t-elle d'une voix tremblante.

Il ne répondit pas. Ellie fit un pas en arrière tandis que l'homme dépliait une couverture à ses pieds, sur laquelle il déposa plusieurs barquettes recouvertes d'aluminium.

— Qu'est-ce que c'est que ça ? interrogea-t-elle, fixant ces étranges offrandes empilées devant elle.

En guise de réponse, il prit l'une des barquettes, se redressa et la lui lança. Elle l'attrapa par réflexe et, parce que son frère avait été autrefois un mercenaire, reconnut des rations militaires. Celle qu'elle tenait était une sorte de dessert aux pommes.

— Je suppose que vous voulez que je mange ça ?

L'autre acquiesça, toujours muet.

Bon sang, son silence était agaçant. Cela l'empêchait de réfléchir. Ellie décida de le provoquer.

— C'est comme ça que vous avez tué Paulo ? Vous l'avez empoisonné ?

L'homme redressa brusquement la tête. Pendant de longues secondes, Ellie n'entendit plus que les battements de son cœur. Au moment où elle se demanda si elle n'allait pas crier de frustration, son ravisseur lui prit la barquette des mains, l'ouvrit, cueillit un peu de la pâte beige qu'elle contenait au bout d'un doigt et souleva son masque juste assez haut pour la manger.

Ellie eut le temps d'apercevoir un début de barbe noire, mais rien de plus. Le masque retomba aussitôt, et il lui rendit la barquette.

Trop énervée pour avaler quoi que ce soit, elle avait à peine touché à son dîner la veille. Elle devait bien admettre qu'elle mourait de faim. Et puis, il était dans son intérêt de conserver ses forces. L'inquiétant mutisme de son visiteur lui laissait supposer qu'elle en aurait besoin…

— Qu'attendez-vous de moi ? demanda-t-elle avec une autorité parfaitement feinte.

Il se contenta de hausser les épaules.

— Mais pourquoi vous ne dites rien ?

Elle trempa ses doigts dans la pâte et les porta à ses lèvres, pour la goûter du bout de la langue. La mixture avait un goût de pommes et de sciure. Mais c'était mieux que rien.

Un nouveau picotement lui courut sur la peau comme le silence s'éternisait.

— Vous savez, c'est très mal poli de ne rien dire.

Et effrayant, terrifiant, oppressant… Mais Ellie n'avait jamais été du genre à se plaindre. On lui avait appris à résoudre ses problèmes sans geindre.

— Ecoutez, j'ignore ce que vous voulez de moi. Je n'ai pas d'argent. Et les bijoux que je portais ne m'appartiennent même pas.

De nouveau, le silence. Ellie explosa.

— Je ne peux pas vous aider si vous ne me dites pas pourquoi je suis là !

Toujours pas de réponse. L'autre continua de la dévisager, aussi immobile qu'une statue.

— Vous allez me tuer, moi aussi ? reprit-elle d'un filet de voix.

Cette fois, elle crut qu'il allait parler. Elle perçut une inspiration derrière son masque et, le cœur battant, attendit…

Mais rien ne vint.

Ellie sentit ses épaules s'affaisser et renonça. Tête basse, elle se mit à manger la mixture sucrée. Son ravisseur en fut sans doute satisfait, car il se mit à tourner autour d'elle, pareil à un lion encerclant sa proie. Elle le suivit des yeux tout en mangeant, s'efforçant d'enregistrer un maximum de détails.

Il portait un pantalon de treillis à motif camouflage doté d'une multitude de poches, rentré dans des rangers qui montaient à mi-mollet. Un couteau dépassait d'un fourreau fixé au-dessus de sa botte.

Ellie pivota pour ne pas le perdre de vue. C'était lui le conducteur de la seconde voiture, celle dans laquelle on l'avait jetée à côté du corps de Paulo. Elle ne connaissait rien aux manières de tuer un homme, mais à en juger par ses yeux exorbités et son expression d'effroi, la mort du chauffeur avait dû être particulièrement horrible.

Son ravisseur était peut-être le meurtrier. A le voir, il était évident qu'il avait déjà tué. Son pull-over ne dissimulait rien du torse puissant, des épaules larges, du ventre plat. Le colosse dépassait le mètre quatre-vingt-cinq, à vue de nez, et se déplaçait avec la souplesse d'un félin.

Jamais Ellie n'avait étudié un homme aussi ouvertement. Et malgré la peur qu'il lui inspirait, elle était également captivée par sa grâce animale. Son cœur s'emballa, sa respiration s'accéléra. L'examen de son mystérieux visiteur tournait à la fascination.

— Qui êtes-vous ?

De nouveau, elle fit mine de toucher ses lunettes, puis serra le poing et le rabaissa.

— Pourquoi refusez-vous de me parler ?

Fascination ou pas, elle devait se rappeler que cet homme était son ravisseur. Qu'il l'avait enchaînée et abandonnée dans une cave.

— Que voulez-vous de moi ? insista-t-elle. Qui êtes-vous ?

Il revint à son point de départ et s'arrêta enfin, à moins d'un mètre d'elle. Jouait-il avec elle ? Essayait-il de lui faire peur ?

Dans ce cas, il y réussissait bien au-delà de ses espérances !

— Parlez-moi !

Sa voix s'était faite dangereusement suppliante, et elle se ressaisit. Elle ne devait pas lui montrer qu'elle avait peur !

— Montrez-moi votre visage, espèce de lâche !

Elle avait réussi à le pousser à bout. Il fondit sur elle tel un faucon, si vif qu'elle eut le réflexe de lever les mains pour se protéger et qu'elle recula d'un pas. La chaîne cliqueta à ses pieds, un sanglot franchit ses lèvres.

Lorsqu'elle constata qu'il ne l'avait pas touchée, Ellie baissa les bras. Il était si proche d'elle qu'elle sentait son parfum, une fragrance virile et épicée, mêlée à une odeur de savon frais. Pour la première fois, elle vit que ses yeux étaient bleus. Ils brillaient avec une ardeur presque surnaturelle au sein de son masque.

— Je… Je suis désolée, bredouilla-t-elle. Ne me faites pas de mal. Je vous en prie.

A sa surprise, l'homme lui souleva doucement le menton, la forçant ainsi à le regarder. Elle constata que ses doigts étaient la seule partie visible de son corps, car il ne portait pas de gants. Ses mains étaient larges et calleuses, des mains d'homme d'action, mais étrangement douces. Ellie rentra la tête dans les épaules, s'attendant à être giflée, mais il resta immobile, ses doigts touchant à peine sa peau, irradiant une chaleur étrange...

— Est-ce que... Est-ce que vous allez me tuer ?

— Sinjun !

La chaleur disparut brusquement comme il retirait sa main. Ellie vit son compagnon faire un pas en arrière et se rapprocher de l'escalier, du haut duquel on venait de l'interpeller.

— Elle est réveillée ?

Le plus petit des deux ravisseurs de la veille, celui qui lui avait injecté la drogue, dévala l'escalier. Puis les murs eux-mêmes parurent trembler comme le géant lui emboîtait le pas et descendait à son tour. Tous deux étaient également habillés de noir, des cagoules cachant leur visage.

La peur revint en force lorsqu'elle reconnut ses kidnappeurs, mêlée cette fois à une certaine dose de colère. Ce fut cette dernière qui l'emporta finalement.

— J'exige de savoir ce que je fais ici, dit-elle.

Le plus petit des ravisseurs se mit à rire.

— Voyez-vous ça. Elle « exige ».

Le géant répondit avec un haussement d'épaules et une sorte de soupir qui devait être sa façon d'exprimer son amusement.

Le petit s'approcha d'elle, et elle reporta aussitôt son attention sur lui. Il puait le tabac froid, une odeur qu'elle reconnut aussitôt. Son chauffeur de la veille... S'il était masqué, cependant, c'était qu'il ne tenait pas à être reconnu. Elle se garda donc de faire le moindre commentaire.

— Comment va notre princesse, ce matin ? railla-t-il.

Princesse ?

— Que pensez-vous de vos quartiers, Altesse ? Sont-ils assez luxueux ?

Alors elle comprit. Seigneur, ils la prenaient pour...

— Je ne suis pas...

Dieu merci, il l'interrompit, et Ellie songea qu'il valait peut-être mieux ne pas le détromper tout de suite, en attendant d'en savoir plus.

— Il y a ici tout le confort dont vous aurez besoin. Même un seau pour vous savez quoi.

Ellie déglutit convulsivement. Ils croyaient avoir kidnappé une princesse. S'ils s'apercevaient qu'ils ne tenaient qu'une petite secrétaire... Le visage convulsé de Paulo flotta un instant devant ses yeux, et un frisson la parcourut.

« Réfléchis, Ellie. » Jouer les princesses, la veille, lui avait déjà coûté un effort surhumain. Pourrait-elle encore abuser ses ravisseurs ? Plus important encore, comment allait-elle se tirer de cette épineuse situation ?

Que ferait une véritable princesse à sa place ?

— Co... Comment m'avez-vous reconnue ?

— « Allez chercher la princesse chez les Carradine. Vous la reconnaîtrez à sa robe rouge », récita le petit homme. C'est tout ce que m'a dit mon contact.

L'homme prit la bretelle cassée de sa robe, qui pendait dans son dos, et la déposa sur son épaule, lissant doucement le satin rouge. Ellie frémit sous cette répugnante caresse.

— Désolé pour la robe, murmura-t-il.

Sa main se trouvait presque à la naissance de ses seins et, même si elle ne voyait pas ses yeux derrière sa cagoule, il n'était pas difficile d'imaginer où ils étaient posés. La main glissa lentement vers sa poitrine, et elle le repoussa farouchement.

— Ne me touchez pas !

Il fut aussitôt sur elle, le tranchant glacial d'un couteau sur sa gorge. Pour un homme de son poids, il était étonnamment rapide.

— Voyons calmement la situation, princesse. J'ai tout le pouvoir…

Le couteau glissa lentement sous la bretelle intacte. D'un mouvement vif, il la sectionna, et le décolleté descendit davantage.

— … et vous n'en avez aucun, acheva l'homme.

Ellie se mit à trembler comme une feuille. Elle ignorait où elle était. Elle ignorait ce que ces hommes attendaient d'elle. En voulaient-ils à la princesse ou à son nouveau mari, Harrison Montcalm, ancien général de l'armée du Korosol et conseiller du roi ? Ou, pire encore, visaient-ils directement le roi Easton ? Le Korosol était un pays petit mais riche. Et son souverain avait une fortune personnelle.

— Que me voulez-vous ?

Sa question, posée d'une voix plus soumise, parut calmer le petit homme. Il se mit à rire, posa son pied sur le tabouret et remit son couteau dans sa botte.

— Nous voulons simplement que vous soyez sage. Sinjun vous a préparé une jolie petite chambre, et nous serons en haut si vous avez besoin de quoi que ce soit.

Sinjun, quel drôle de nom… Ellie tourna son regard vers le premier homme. Il se tenait à l'écart, toujours aussi silencieux. Elle n'était pas stupide au point de le croire son allié, mais il lui avait apporté de quoi reprendre des forces. Et l'avait poussée à manger.

— C'est presque l'heure du coup de fil, Jerome, dit le géant d'une voix grave mais étrangement douce.

Le petit homme hocha la tête.

— Tenez-vous tranquille, ma belle, et il ne vous arrivera rien.

— Comment puis-je en être sûre ? Qui me dit que je ne finirai pas morte dans votre coffre ?

— Personne ne vous le dit. Vous êtes peut-être habituée à commander, dans votre château, mais ce n'est pas le cas ici.

En d'autres circonstances, Ellie aurait pu rire de cette idée saugrenue. Jamais elle n'avait vécu dans un château. Elle avait même passé la majeure partie de son enfance dans des étables ! Comment ces imbéciles pouvaient-ils la confondre avec une femme aussi belle que Lucia Carradine ?

— Le coup de fil, répéta le géant.

— C'est bon, Lenny.

Lenny. Le grand s'appelait Lenny, le faux chauffeur aux mains baladeuses, Jerome. Le muet, c'était Sinjun. Elle ignorait si ces informations pourraient l'aider, mais les mémorisa néanmoins.

— Ne vous en faites pas, ma belle, je reviendrai. J'ai un coup de fil à passer. Je parie qu'il y a quelqu'un qui se demande où vous êtes.

Jerome et Lenny remontèrent et disparurent. Le dénommé Sinjun resta un instant en arrière, à l'étudier, puis se dirigea à son tour vers l'escalier.

— Attendez !

Ignorant sa supplique, il monta et referma la porte derrière lui. Ellie entendit glisser un gros verrou.

Au moins connaissait-elle ses ennemis, à présent, songea-t-elle en se rasseyant. Jerome était un dangereux pervers et Lenny, malgré son apparente apathie, ne l'était pas moins. Mais aucun des deux ne l'effrayait autant que Sinjun, l'homme-félin aux yeux bleus, l'homme qui ne parlait jamais.

« Je parie qu'il y a quelqu'un qui se demande où vous êtes. »

26

Jerome avait en partie raison. Si la princesse Lucia avait disparu, tout le monde s'en serait aussitôt inquiété. Son mari. Sa mère. Ses sœurs. Le roi Easton lui-même.

Mais qui remarquerait la disparition d'Eleanor Standish ?

2.

Cade St. John referma la porte de la cave derrière lui et ôta sa cagoule. D'un revers de manche, il essuya la sueur de son front, puis se passa les doigts dans les cheveux pour y remettre de l'ordre. Il avait besoin d'une bonne coupe. Ses boucles repoussaient déjà et lui donnaient l'air plus jeune que ses trente-trois ans.

Trente-trois ans d'une vie bien remplie, qui auraient suffi à d'autres pour prendre leur retraite !

Est-ce que vous allez me tuer ?

Il soupira. La voix de cette fille, ses grands yeux tristes et accusateurs l'avaient quelque peu déstabilisé. Mais il avait les nerfs à vif. Le kidnapping avait mal tourné. Le chauffeur n'aurait pas dû être tué. Cade avait été naïf de croire qu'il pourrait contrôler un type aussi imprévisible que Jerome Smython.

Une nouvelle fois, il se demanda qui les avait enrôlés. Cette personne avait-elle délibérément donné carte blanche à Jerome ? Ou ce dernier s'était-il laissé emporter ?

Déposant son masque sur le bar qui faisait office de séparation entre la cuisine et le salon, il se dirigea vers le réfrigérateur. S'il avait été à la tête de l'opération, les choses se seraient déroulées autrement. Mais voilà : ce n'était pas lui qui dirigeait. On ne l'avait engagé que pour ses capacités de combattant.

— Sinjun, passe-moi une bière.

Cade réprima l'instinct meurtrier qui s'éveillait en lui toutes les fois que Jerome lui donnait un ordre. Deux semaines plus tôt, Smython était entré dans son bureau de l'ambassade du Korosol avec une très intéressante proposition.

« Kidnappons une princesse. »

Cade avait beau posséder un titre, tout le monde savait que sa famille était ruinée, son père ayant dilapidé toute sa fortune au jeu avant sa mort. Leurs terres avaient été saisies. La mère de Cade avait épousé un pétrolier texan qui la couvrait de fourrures et de bijoux, et oublié son passé. Son fils y compris.

Cadence St. John, duc de Raleigh, ancien officier et ambassadeur du Korosol aux Etats-Unis, avait donc accepté l'offre d'un million de dollars…

Il tira trois bières du réfrigérateur, les décapsula et les porta au salon, où Smython et Lenny Gratfield s'étaient installés dans deux canapés dépareillés. Puis, s'approchant de la fenêtre cassée qui donnait sur les bois du Connecticut, il fit mine de s'abîmer dans la contemplation des eaux vert-de-gris du lac, qui scintillaient derrière les troncs.

Du coin de l'œil, il surveillait en fait ses acolytes dans le reflet de la vitre. Il avait déjà fait son enquête sur eux. Il aimait à savoir à qui il avait affaire. Tous deux étaient d'anciens soldats de l'armée du Korosol devenus mercenaires. Il avait subi le même entraînement qu'eux, à l'âge de vingt et un ans. Il en avait gardé l'habitude de rester toujours en alerte. Cela lui avait bien des fois sauvé la vie.

Jerome alluma une cigarette européenne et mit ses pieds sur le pouf qui leur servait également de table basse. Lenny avait ôté sa casquette de son crâne rasé et tiré de sa poche un carnet noir dans lequel il prenait des notes. Tenait-il un journal ? Des comptes ? Ecrivait-il à quelqu'un ? Tout son être dégageait une calme détermination qui contrastait avec la violence et la nervosité de Smython. Le feu et la glace.

Si les motivations de Jerome, dans cette affaire, étaient évidentes, il n'en allait pas de même concernant Lenny. Jerome aimait l'argent et les voitures rapides, son acolyte s'en moquait. Cade se promit de le garder à l'oeil.

Il regarda enfin sa montre. Au moment précis où l'aiguille atteignait le douze, le téléphone sonna. Pile à l'heure. Il avala une autre gorgée de bière et pivota, prêtant une attention faussement distraite à ce qui allait se dire.

— Trois heures, fit Smython en décrochant. J'aime la ponctualité.

Il se mit à rire, puis hocha la tête.

— Oui, monsieur. Le paquet est en sécurité. Non, pas d'ennuis. J'appellerai dès que nous en aurons fini ici.

Il écouta un instant, puis une expression de mécontentement se peignit sur ses traits.

— Je n'aime pas les surprises de dernière minute.

Il se leva, tira une longue bouffée de sa cigarette et se mit à arpenter la pièce.

— Trois jours ?

Son regard croisa celui de ses acolytes, puis il hocha la tête.

— D'accord, on peut attendre trois jours. Tant qu'on est payés comme convenu.

Il raccrocha. Lenny rempocha son carnet et lui jeta un regard interrogateur.

— Trois jours ?

— On doit jouer les baby-sitters pendant trois jours, le temps que les détails de la rançon soient réglés.

Ce changement de plan n'était pas pour plaire à Cade. Il fit un pas en avant. Etait-ce sa conscience qui se réveillait ?

— Sa famille n'a pas encore été contactée ?

Avec un haussement d'épaules, Jerome écrasa sa cigarette et en prit une autre.

— Il dit que ça va prendre un peu de temps de négocier.

— Qui ça, il ?

Smython sourit et alluma sa cigarette avant de répondre :

— Tu le sauras en même temps que moi. Je ne le connais pas en personne. Tout s'est fait par téléphone, et j'ai obéi aux ordres. Tant que je suis payé, je ne pose pas de questions. Et tu ferais bien d'agir de même. S'il dit qu'il faut attendre trois jours, on attend.

— Tu ne t'es pas demandé ce qui pouvait pousser quelqu'un à prendre le risque de kidnapper un membre de la famille royale ?

— Non. Regarde, je t'ai bien convaincu de participer à l'affaire, toi ! Pour de l'argent, un homme est prêt à beaucoup de choses. Tout a un prix.

Cade réprima l'envie de lui faire avaler sa cigarette et se contenta de hausser les épaules.

— Donc, nous attendons trois jours ici qu'il daigne venir ?

— Non. Il passera ce soir vérifier la marchandise. Tu pourras lui présenter tes griefs. Pour ma part, je n'y vois aucun inconvénient. Je suis loyal à qui me paie. Mais si lundi soir, je n'ai pas mon fric, ce sera une autre histoire. Son Altesse sera morte, et lui aussi. D'ici là, on attend.

Smython quitta la pièce, laissant un nuage de fumée âcre derrière lui. Lenny tira de nouveau son carnet de sa poche et se remit à écrire. Cade alla s'asseoir dans la cuisine où il ouvrit un sachet de bretzels. Tout en mangeant, il laissa son regard dériver vers la porte de la cave.

Les bretzels descendirent plus difficilement lorsqu'il songea aux vieilles rations qu'il avait laissées à leur prisonnière. Au moins avait-elle eu l'intelligence de manger.

Elle lui avait paru si jeune, si fragile… L'opposé de toutes les femmes qu'il avait connues. Ling à Hong-Kong. Rosa au Brésil. Elise à Londres. Jeanne au Korosol. Des femmes qui appréciaient une bonne nuit d'amour lorsqu'il était de passage en ville, mais qui n'essayaient pas de le retenir le matin venu.

La fille de la cave avait l'air innocent de celles qui croient encore au prince charmant et aux dénouements heureux. Il l'imaginait plus dans une chemise trop grande pour elle que dans cette robe trop petite qui ne cachait rien de ses courbes affolantes.

Et quand avait-il vu pour la dernière fois des yeux si bleus ? Si purs ? Ils lui rappelaient les lacs du Korosol.

La mine sombre, Cade prit une gorgée de bière. Puis une autre, et encore une autre. Il n'était pas là pour faire du sentimentalisme. Il avait un travail à accomplir. Et il se targuait d'être très, très doué pour exécuter les tâches qu'on lui confiait.

Il envoya la bouteille de bière vide voler dans la poubelle et réfléchit à la suite des événements. Il baignait dans cette affaire jusqu'au cou, et ne le regrettait pas. Mais il fit une promesse silencieuse à leur prisonnière.

Il détestait les types tels que Jerome Smython, qui jouaient avec la vie d'autrui pour satisfaire leur avidité et leur soif de pouvoir. Lui-même avait fait bien des choses illégales dans sa vie, et c'était pour ça qu'on le payait, mais il n'avait jamais fait souffrir d'innocents.

Et cette fille, dans la cave, enchaînée et terrorisée, était innocente. Et courageuse, il devait bien l'admettre. Elle lui avait fait face d'une façon qui l'avait surpris. Il avait même eu le cœur brisé lorsqu'il avait dû la forcer à courber l'échine. Il avait d'ailleurs bien failli lui offrir quelques paroles de réconfort, oubliant complètement sa mission.

En silence, il prit donc une décision : il la protégerait. Il ne pouvait plus arrêter la machine lancée par son enlèvement, et n'en avait de toute façon aucune envie. Mais il pouvait veiller sur elle.

C'était sa responsabilité, après tout.

Parce qu'il savait une chose que Lenny et Jerome ignoraient. Ils avaient bien kidnappé la fille en robe rouge. Mais cette fille n'était pas la bonne.

Il avait rencontré Lucia Carradine Montcalm au mariage de sa sœur Celia deux mois plus tôt environ. Et si leur prisonnière avait de l'allure à revendre, elle n'était pas princesse. Elle n'était même pas une Carradine. Et elle avait beau lui sembler familière, il n'arrivait pas à la replacer.

Cade soulagea sa conscience en se promettant de garder son identité secrète. Elle ne se rendrait sans doute pas compte du service qu'il lui rendait, mais il était bien réel.

Car si Jerome, Lenny et l'homme du téléphone s'apercevaient qu'ils avaient enlevé la mauvaise personne, il n'y avait aucun doute quant au sort qu'ils lui feraient subir.

Ils la tueraient.

— Il dit qu'ils la tueront.

Son Altesse Royale, le roi Easton du Korosol, raccrocha et s'assit avec lassitude dans un profond fauteuil d'acajou sculpté. Chacune de ses soixante-dix-huit années lui pesait plus lourdement que jamais.

Il avait mené des guerres, essuyé des crises, travaillé dur pour son pays, enterré sa femme bien-aimée et négligé sa famille américaine dans l'intérêt du Korosol.

Mais rien ne l'avait éprouvé comme ce coup de fil. Peut-être était-ce l'âge. Ou cette rare maladie du sang qui le vampirisait. Ou la culpabilité d'avoir dû imposer à une amie fidèle un sacrifice pour le Korosol.

Si Ellie avait été là, elle aurait su le remonter en un rien de temps. Elle s'occupait de lui à merveille et lui, idiot qu'il était, se laissait faire sans protester. Elle lui manquait terriblement. Il préférait ne pas imaginer ce qu'elle devait endurer en cet instant.

Il se redressa dans sa chaise et passa en revue les hommes qu'il avait rassemblés pour sortir de cette crise. Puis il retira ses lunettes et les posa sur le bureau.

— J'avais peur qu'il arrive quelque chose de ce style quand je suis arrivé en Amérique. Peur de mettre ma famille en danger. Mais Ellie va bien, pour le moment. On m'a donné jusqu'à lundi minuit pour rassembler la rançon.

Son meilleur ami et conseiller, Harrison Montcalm, fit un pas en avant.

— Vous avez une idée de l'identité de des ravisseurs ?

— La voix de l'homme qui appelait était trafiquée. Elle sonnait comme celle d'un robot.

— Combien veulent-ils ? s'enquit quelqu'un derrière Harrison. Vous allez payer, n'est-ce pas ?

Le souverain leva les yeux vers le jeune homme blond qui s'approchait du bureau. Il s'agissait de Nicholas Standish, le frère d'Ellie.

— Nous ne négocions pas avec les terroristes, lui rappela Harrison.

— Que veulent-ils au juste ? demanda Nick.

— Mon trône, dit le roi d'une voix lasse.

Un silence choqué suivit cette révélation. Easton inspira profondément et ajouta :

— Qui qu'ils soient, ils me demandent plusieurs millions de dollars, et ils exigent mon abdication.

Le quatrième homme présent, Devon Montcalm, fils de Harrison et capitaine de la garde royale, intervint :

— Vous croyez que c'est le Front démocratique du Korosol ? Mes sources me disent que leurs finances sont presque à sec.

— C'est possible.

— Je croyais qu'ils avaient signé un traité renonçant à la lutte armée ? fit valoir Nick.

— Ce ne serait pas la première fois qu'une faction terroriste brise un traité, dit Easton.

Comme d'habitude, Harrison fit preuve de son sens de l'action.

— Vous voulez que je fasse venir Remy Sandoval ?

Easton tira un mouchoir de sa poche et nettoya ses lunettes tout en considérant cette idée. Il soupçonnait fort l'identité de la personne qui était derrière cet enlèvement. Mais sans preuve formelle, il ne voulait négliger aucune piste.

Après quelques secondes de silence, il se leva et déclara :

— D'accord. Sandoval est le leader du parti, et j'aimerais savoir si quelques éléments de la vieille garde n'auraient pas pu échapper à son contrôle.

— Bien, fit Harrison.

— Je suis vraiment désolé pour vous. Je sais que vous aviez hâte de partir en lune de miel. J'apprécie que vous soyez resté pour nous aider.

— C'était la moindre des choses. Et puis, c'est Lucia qui était visée. Bon, je vais aller passer quelques coups de fil.

— Pour ma part, intervint Devon, j'ai déjà accru la sécurité de chacun des membres de la famille royale.

— Est-ce que ce n'est pas un peu tard pour ça ? s'emporta Nick. C'est de cette façon vous gérez une crise ? En passant des coups de fil ? Ma sœur est peut-être déjà morte ! Si c'était l'une de vos petites-filles…

— Standish, coupa Devon d'un ton d'avertissement.

— Elle doit être paniquée ! Elle ne sait pas se comporter avec des types pareils ! Elle n'a jamais levé le nez de ses livres !

Easton hocha la tête, assumant pleinement la responsabilité de ce qui était arrivé.

— Ellie n'est plus une enfant, Nick. D'accord, elle n'est pas beaucoup sortie, mais elle est habile et pleine de ressources.

Dans les cercles diplomatiques ou à une table de négociation, ajouta-t-il en silence, incapable de réprimer un pincement d'inquiétude. Cette fois, son ange gardien risquait d'être débordé par les événements. Mais il ne voulait pas inquiéter inutilement son frère.

— Tout ira bien, dit-il, autant pour s'en convaincre lui-même que les autres.

Puis il fit ce qu'il savait le mieux faire. Il prit les choses en main.

— Devon, mettez vos meilleurs hommes en alerte. Je vais avoir besoin de vous.

— C'est déjà fait.

— Je vais la chercher moi-même, déclara Nick en se tournant vers la porte.

— Non, fit le roi d'un ton qui n'admettait aucune contestation.

Il ne doutait pas qu'en tant qu'ancien mercenaire, Nick était plus que capable de se lancer dans une mission commando. Mais Easton voulait jouer cette partie à sa façon.

— J'ai déjà quelqu'un sur l'affaire, révéla-t-il.

Il espérait simplement que c'était quelqu'un à qui il pouvait faire confiance…

Ellie avait les yeux en feu. Elle portait ses lentilles depuis plus de vingt-quatre heures et avait la distincte impression d'avoir du sable sous les paupières. Les larmes n'avaient rien arrangé.

Si elle avait été du genre à jurer, elle ne se serait pas privée d'accabler ses ravisseurs. Mais Ellie était de nature réfléchie et non une femme au sang chaud. Son caractère doux et posé lui permettait d'envisager une situation sous tous ses angles avant d'agir. Elle contrôlait son destin.

Du moins, en temps normal…

Elle avait déjà envisagé d'enlever ses lentilles pour soulager ses yeux. Mais cela n'aurait fait qu'ajouter à sa faiblesse. Sans ses lunettes, elle était perdue ! Et elle préférait encore voir venir le danger, même si cela se payait par un inconfort certain.

Le cliquetis d'une clé dans la serrure, en haut des escaliers, la mit aussitôt en alerte. Un bruit de pas se fit entendre, trop légers pour être ceux de Lenny, trop rapides pour être ceux de Jerome. Cela ne pouvait donc être que…

— Sinjun.

Elle avait espéré le surprendre en l'appelant par son nom, mais il fit comme s'il ne l'avait pas entendue. Après avoir déposé deux paquets près d'elle, il lança un coup d'œil vers le haut de l'escalier.

Puis il s'agenouilla, défit quelques nœuds et révéla un sac de couchage.

— Excusez-moi, commença-t-elle, mais je…

— Faites semblant de dormir.

— Quoi ?

Le son de sa voix l'avait surprise autant que cette étrange requête.

— Faites ce que je vous dis. Dépêchez-vous !

Sa voix était douce, veloutée mais autoritaire à la fois. Ellie agrippa sa couverture, réprimant une farouche envie de s'enfuir aussi loin que sa chaîne le lui permettait. Puis elle se rappela qu'elle était censée être une princesse et redressa la tête.

— Ainsi donc, vous daignez me parler ?

Ignorant le sarcasme, il sortit une lanterne alimentée par batterie et la posa sur le tabouret. Puis il l'alluma, emplissant la pièce d'une lueur chaleureuse qui atténua celle, glaciale et sinistre, de l'ampoule de l'escalier.

Il plongea ensuite la main dans l'un des sacs, sans cesser de jeter de fréquents coups d'œil en arrière. Il semblait avoir complètement oublié sa présence.

Mortifiée, Ellie fit un pas de côté pour essayer de voir ses yeux.

— Je veux mes lunettes. Vous pouvez garder tout le contenu de mon sac, mais je dois enlever mes lentilles.

— Couchez-vous.

Sans attendre de voir si elle lui obéissait, il remonta quelques marches, enveloppa l'ampoule qui pendait du plafond dans le sac à dos, puis projeta le sac contre le mur. Il y eut un bruit de verre brisé, et la pièce se retrouva éclairée par la seule lanterne.

Intriguée, elle le suivit des yeux comme Sinjun roulait le sac en boule et le fourrait sous l'escalier. Il revint vers elle en deux bonds souples.

— Faites ce que je vous dis et vous n'aurez pas d'ennuis.

Ellie préféra s'accrocher à la colère qui montait en elle plutôt que céder à la peur.

— Vous n'avez pas le droit de parler ainsi à une princesse.

Il la prit de court en s'agenouillant brusquement devant elle. Vif comme l'éclair, il la prit par les bras et la força à faire de même. Elle se retrouva à son tour à genoux, si près de lui qu'elle perçut la chaleur de son souffle à travers son masque. Il la tenait prisonnière d'un étau tel qu'il était inutile de lutter.

— J'ignore qui vous êtes, mais je sais qui vous n'êtes pas : Lucia Carradine.

Le temps parut s'arrêter. Ellie fixa, paniquée, les yeux d'un bleu pur de son ravisseur. Puis la panique s'abattit sur elle telle une lame de fond.

— Non ! Lâchez-moi !

Ils voulaient une princesse. S'ils apprenaient la vérité, elle était morte. Nul ne paierait une rançon pour elle, et elle deviendrait un fardeau encombrant.

Il la secoua de nouveau et l'attira plus près de lui encore si c'était possible. Puis il se pencha vers elle, et elle crut l'espace d'un moment qu'il allait l'embrasser. Au lieu de cela, il colla ses lèvres à son oreille, et elle décida d'ignorer la fugace déception qui lui serra le cœur.

— Ça restera notre petit secret, d'accord ? chuchota-t-il. Mais si vous ne faites pas ce que je vous dis, quand je vous le dis…

Il laissa sa menace en suspens. Un frisson la parcourut de la tête aux pieds.

— Comment avez-vous su ? demanda-t-elle d'une voix étranglée. Je suppose que vous allez me demander quelque chose en échange de votre discrétion ? Je n'ai rien à vous offrir. Je n'ai pas d'argent. Les bijoux ne sont même pas à moi...

— Chut...

Il la relâcha doucement, et elle se retrouva assise.

— Nous discuterons plus tard. Il y a du monde là-haut.

Sinjun entreprit ensuite de retirer les épingles qui maintenaient son chignon. Après cette démonstration de force, elle n'osa pas protester. Et puis, une drôle de chaleur se déployait dans son ventre tandis qu'il faisait bouffer ses cheveux et laissait retomber ses boucles sur son visage. Sa respiration s'accéléra quand les doigts de son ravisseur effleurèrent ses tempes, ses pommettes. La douceur inattendue dont il faisait preuve la troublait plus qu'elle n'aurait su le dire.

Elle savait qu'il ne faisait pas cela pour l'apaiser ou la rassurer, mais elle ne put s'empêcher de se sentir réconfortée. Elle comprit qu'il valait mieux, si elle espérait survivre, faire ce qu'il lui disait. Même si elle ne comprenait pas très bien ses motivations.

Aussi ne protesta-t-elle pas lorsqu'il lui ouvrit le sac de couchage.

— Faites comme si dormiez.

Elle s'allongea docilement et le laissa recouvrir le côté de son visage avec ses cheveux, tandis qu'il lui donnait ses dernières instructions.

— Restez tournée vers le mur et ne bougez pas. Avec cette lumière, je ne pense pas que quiconque mettra votre identité en doute.

— Pourquoi faites-vous cela ?

Au même instant, un brouhaha se fit en effet entendre en haut de l'escalier : la voix grave de Lenny, le rire gras de Jerome. Et une troisième voix, plus douce, suave, insidieuse. Ellie se blottit dans son sac de couchage, effrayée, le regard rivé à la chaudière rouillée.

Elle crut que Sinjun n'allait pas répondre, et fut surprise de l'entendre murmurer :

— Nous avons tous des priorités différentes.

La porte s'ouvrit et elle ferma les yeux. Quelles étaient les priorités de Sinjun ? Et n'irait-elle pas de Charybde en Scylla à présent qu'elle était totalement à sa merci ?

3.

Les choses s'étaient passées plus facilement que prévu.

Le contact de Jerome était arrivé à neuf heures du soir et s'était contenté d'étudier la supposée princesse depuis le haut des escaliers. Il avait refusé l'offre de Smython d'aller la réveiller, préférant apparemment quitter au plus vite l'atmosphère humide et poisseuse de la cave.

Cade se tenait sous l'arche par laquelle on passait du salon à la cuisine, Lenny était installé dans le canapé à fleurs. Jerome arpentait la pièce principale, l'une de ses éternelles cigarettes vissée aux lèvres, véritable boule de nerfs. Cade l'aurait volontiers descendu d'un bon coup de pistolet, mais il avait besoin de lui.

Discrètement, il reporta son attention sur l'homme en costume Armani brun qui les avait rejoints. Winston Rademacher tira un mouchoir d'un blanc immaculé de sa poche et épousseta l'accoudoir du sofa avant de s'y percher.

Intéressant. Il paraissait répugner à se salir les mains, au sens propre comme au figuré…

Jerome expira une bouffée de fumée, puis se retourna et passa à travers pour s'approcher de leur visiteur.

— Tout ce que je dis, c'est qu'on peut aussi se faire du fric avec les bijoux de la donzelle. On les donne à un receleur et le tour est joué. Il n'y a pas de petits profits.

— Le collier est une pièce unique qui porte les armes du Korosol. Le mettre sur le marché conduirait la police droit jusqu'à nous.

Rademacher entrouvrait à peine ses lèvres minces lorsqu'il parlait.

— Nous rendrons les bijoux en même temps que la princesse, conclut-il.

— C'est vous qui avez prolongé la durée de la mission, déclara Jerome d'un air menaçant. Vous nous devez une compensation.

Cade se désintéressa complètement de la tentative de son acolyte d'arracher plus d'argent à leur employeur pour étudier Rademacher. Il l'avait rencontré à plusieurs reprises au cours de divers événements mondains. Rademacher était un trader professionnel, un habitué de la jet-set. Ses cheveux noirs et ses pommettes hautes traduisaient ses lointaines origines moyen-orientales, mais Cade ne se rappelait pas d'où il était précisément.

Il regretta de ne pas avoir son ordinateur sous la main pour pouvoir faire quelques vérifications. Il détestait ne pas savoir à qui il avait affaire, et ses informations sur Rademacher étaient trop fragmentaires à son goût. Winston était le bras droit du prince Markus du Korosol, petit-fils du roi Easton. Les parents de Markus, Byrum et Sarah, avaient été tués dans un accident de voiture au cours d'un safari en Afrique plus d'un an auparavant. Markus était donc la personne qui devait logiquement succéder à Easton. Mais ce dernier en avait décidé autrement après que des rumeurs avaient fait état d'une possible implication du jeune prince dans la mort de ses parents. Markus n'avait d'ailleurs jamais caché son ambition de monter sur le trône… Rademacher agissait-il en sous-main pour lui ?

— Bon sang, il n'y a rien qui marche ici. On voit bien que ce n'est pas vous qui devez vous doucher dehors.

Les jérémiades de Jerome tirèrent Cade de ses réflexions.

— Monsieur Smython, fit Rademacher, qu'essayez-vous de me dire, au juste ?

Cade savait également que leur visiteur avait des liens avec un ancien groupe terroriste qui voulait renverser la monarchie. Etait-il prêt à vendre son pays au plus offrant ? Ou ses motifs étaient-ils d'ordre plus personnel ? Après tout, l'enlèvement de princesses était sans doute une activité plus lucrative que le courtage.

— Je me moque de ce que vous faites du corps, disait-il lorsque Cade s'intéressa de nouveau à la conversation. L'essentiel, c'est qu'on ne le retrouve pas. Et je vous rappelle que mon client avait bien spécifié qu'il ne voulait pas de victime.

Mon client ? Cade tendit l'oreille, curieux.

— Le chauffeur s'est débattu, dit Jerome, comme si cela lui suffisait à justifier un meurtre. J'aurais dû lui administrer une dose de sédatif plus forte.

— Vous auriez dû, oui.

Rademacher se leva, reboutonna sa veste et en lissa les pans. Une chose était sûre, songea Cade : ce type ne trahissait jamais la moindre émotion. Il était froid, intelligent, indéchiffrable. Sa voix, en cet instant, ne reflétait rien de plus qu'une légère irritation.

— J'ai un plan de secours au cas où vous dévieriez du plan initial, déclara-t-il.

Alerte ! L'instinct de survie de Cade entra aussitôt en action.

— Eh là ! Qu'est-ce que ça veut dire ? Qu'est-ce que nous ne savons pas ?

Winston tressaillit et se tourna vers lui, comme s'il avait oublié sa présence. Raté. Cade ne crut pas une seconde à cette feinte surprise.

— Je vous ai dit tout ce que vous aviez besoin de savoir… Votre Grâce.

Cade avait supporté assez d'allusions ironiques, de la part de snobinards tels que Rademacher, pour que cette pique rebondisse sur sa carapace. Il avait enduré bien pire et survécu. Il s'avança vers Winston et profita de sa taille supérieure pour le toiser.

— Vous nous avez tout dit sauf cette histoire de plan B. Et l'identité de notre client.

Rademacher replia lentement son mouchoir avant de répondre. Puis il partit d'un rire aigu dépourvu du moindre amusement.

— Vous êtes aussi têtu que l'était votre père, n'est-ce pas ?

Cade enfouit ses poings dans ses poches mais resta parfaitement immobile. Il laissa la colère le traverser, puis l'emprisonna dans le vide qui avait autrefois abrité son âme.

— Je ne fais pas les mêmes erreurs que mon père, répondit-il froidement.

Winston hocha légèrement la tête.

— J'espère bien que non. Bretford est mort avec une dette importante à mon égard. Je considère votre participation à ce projet comme un paiement de cette dette.

Il agita ses doigts parfaitement manucurés, comme s'il jetait un sort, et ajouta :

— C'est le destin qui s'en mêle…

— Eh ! On parlait de mon argent ! intervint Jerome en brandissant son poing entre eux.

Les paupières de Rademacher frémirent imperceptiblement, et il ferma les yeux. Cade s'éloigna, regrettant de n'avoir pu lui soutirer l'information qui l'intéressait.

— Vous commencez à m'agacer, Smython, lança Rademacher.

Cade l'étudia, la mine sombre. Il n'avait jamais joué aux cartes avec Winston Rademacher. Au contraire de son père, qui avait perdu gros. Son addiction pour le jeu lui avait coûté sa fortune, le respect de son fils et, en définitive, sa vie.

Evidemment, leur hôte n'était pas directement responsable de la mort de Bretford St. John. Son père avait été le seul à appuyer sur la détente, ce soir fatidique. Mais l'ironie de Rademacher lui faisait l'effet du sel sur une blessure.

Jamais Cade n'avait rencontré un homme qui regrettait son père. En deuil, il s'était tourné vers les supposés amis de sa famille, et s'était trouvé face à une horde de créanciers.

— Si vous n'êtes pas satisfait de mes dispositions, je peux vous remplacer facilement, dit Winston à cet instant.

L'avertissement était clair, même pour Jerome.

— C'est une menace ? demanda celui-ci en jetant son mégot dans la cheminée vide.

Rademacher ne parut guère impressionné.

— Dois-je recourir aux menaces ?

Puis, sans attendre sa réponse, il se tourna vers Lenny.

— Monsieur Gratfield ?

Le géant se leva de son canapé comme si un officier supérieur venait de le convoquer.

— Oui, monsieur ?

— Mettez tous les bijoux de la princesse dans mon attaché-case. Je les enverrai comme preuve que nous la détenons. Retrouvez-moi à la voiture.

Lenny s'éloigna, et Winston Rademacher s'apprêta à sortir après avoir jeté un regard dédaigneux autour de lui.

Au dernier moment, Cade s'interposa entre la porte et lui. Il avait encore quelques questions à lui poser.

— Pourquoi tout ce mystère autour de votre client ?

— C'est peut-être trop difficile à comprendre pour vous, Sinjun…

Comme Lenny et Jerome, il prononçait son nom, St. John, avec un accent britannique exagéré.

— Je suis un homme qui met les gens en contact. Je monte des projets. Je réunis des individus. Pour des raisons compréhensibles, mon client n'a pas envie d'être lié à un kidnapping ou à des gens tels que vous.

— Très joli discours, répondit Cade, dissimulant sa frustration. En attendant, que faisons-nous de la princesse Lucia ? J'ai signé pour un kidnapping, pas un double meurtre.

Winston se mit à rire. Mais son regard resta perçant et sinistre.

— Attention, Sinjun ! A vous entendre, on dirait que vous vous êtes pris d'affection pour elle. Vous ne voudriez pas que je vous soupçonne de vouloir changer de camp ?

— Je n'appartiens qu'à un camp : le mien.

Puis, haussant les épaules avec un feint détachement, il ajouta :

— J'étais juste curieux de savoir où *votre* loyauté allait. Mentionner un plan de secours me laisse supposer que vous n'hésiteriez pas à nous abandonner en cas de problème.

— Je suis fidèle au projet, point. Et je suppose que vous pouvez vous charger d'une gamine de vingt-six ans sans problème, non ?

Cade eut un léger frisson en se rappelant la douceur de ses cheveux sous ses doigts, le velouté de sa peau. Il s'en voulut aussitôt de se laisser distraire par ce genre de considération.

— Ce n'est pas la fille qui m'inquiète, mentit-il. J'aimerais être sûr que nous pouvons faire confiance à votre client.

— Inutile de lui faire confiance, répondit Rademacher en rajustant sa cravate. Vous n'avez même pas à *me* faire confiance. Préparez juste la fille pour lundi soir.

Un rire gras rappela à Cade qu'ils n'étaient pas seuls. Jerome s'approcha, un sourire sournois aux lèvres.

— Est-ce qu'on doit la ramener intacte ?

— Smython, vous me dégoûtez, lâcha Winston.

Jerome jura en français et en espagnol, puis sortit en trombe. Lenny revint au même instant et tendit son attaché-case à leur visiteur.

— Je vous raccompagne à votre voiture.

Winston acquiesça sèchement. La porte se referma derrière eux, et Cade laissa libre court à sa frustration en tapant du poing dans le mur. Il y avait quelque chose de pourri dans cette mission : le meurtre imprévu du chauffeur, l'anonymat de leur commanditaire, le prétendu plan de secours. Il n'en était pas à son premier coup, et son instinct lui disait de se méfier.

Rademacher était froid, manipulateur, diaboliquement intelligent. Il n'avait pas laissé filtrer la moindre information.

Et Cade se rendit compte qu'il n'avait pas répondu par la négative à la dernière question de Jerome.

Quelque chose clochait.

Cade remit les clés dans sa poche et ferma la porte de la cave derrière lui. Puis il rabattit son masque sur son visage et descendit, scrutant les ténèbres du regard, tentant de déterminer ce qui n'allait pas.

La lueur chaleureuse de la lanterne rendait l'endroit presque hospitalier. Mais une chaîne cliqueta, lui rappelant que cette hospitalité laissait à désirer.

— C'est vous, Sinjun ?

Bon sang, il détestait ce surnom. Cette façon traînante de prononcer son patronyme, comme s'il n'avait aucune importance. Mais étant donné les circonstances, il pouvait difficilement la corriger.

Lorsqu'il pénétra dans le cercle de lumière, la prisonnière se redressa, serrant sa couverture autour de ses épaules.

— Alors ? J'ai réussi le test avec votre patron ?

Ses grands yeux bleus trahissaient sa souffrance, et Cade se sentit tiraillé entre pitié et culpabilité. Mais ce fut l'admiration pour son courage qui l'emporta. Il hocha la tête et la vit sourire en retour.

Cela ne dura pas longtemps. Presque aussitôt, elle baissa les yeux. Mais l'image de son sourire s'était gravée dans l'esprit de Cade. Il eut l'impression, sans savoir pourquoi, que cette fille n'était pas habituée à sourire.

— Bien, soupira-t-elle. Je ne sais pas pourquoi vous m'aidez, si même vous m'aidez, mais puisque je suis encore en vie, j'imagine que je dois m'en réjouir, non ? Je n'ai jamais été kidnappée avant et je ne connais pas bien le protocole. Mais tant que je suis en vie, je suppose que vos motivations m'importent peu, n'est-ce pas ?

Sa façon de parler. Elle était différente. Jamais elle ne s'était montrée aussi volubile. Pourtant, ce n'était pas cela qui l'avait troublé dès qu'il était entré. Quelque chose d'autre n'allait pas.

Allons, c'était sans doute sa rencontre avec Winston qui l'avait rendu nerveux, rien d'autre…

Elle recula légèrement lorsqu'il se baissa pour ramasser ses rations vides, et il entraperçut un peu de sa cuisse à travers sa robe déchirée. Ce spectacle lui fit un coup au cœur, et il s'imagina glisser la main par cette déchirure, sentir la peau brûlante de leur prisonnière sous ses doigts, remonter lentement et...

Bang !

Il ne vit pas le coup arriver. Sa puissance le sonna et le renversa. Le crochet avec lequel elle avait frappé traversa le tissu de la cagoule, lui égratigna la joue et lui arracha son masque.

Il lui fallut quelques secondes pour se ressaisir, pour apprivoiser les lumières qui dansaient devant ses yeux. Il sentit les mains de la fille sur sa taille, puis dans sa poche. Que cherchait-elle ?

Un cliquetis de clés le ramena soudain à la réalité. Son instinct de soldat reprit le dessus, il ferma son esprit à la douleur. Sa main se referma sur un frêle poignet et l'emprisonna.

La jeune femme fit un brusque mouvement en arrière, mais il tint bon et utilisa son élan pour se redresser. De nouveau, il vit le crochet de métal fondre sur son visage. Il l'arrêta d'un mouvement de bras qui arracha à la jeune femme un grognement de douleur. Puis il se jeta sur elle et l'écrasa de tout son poids. Elle se figea brusquement, et Cade crut l'espace d'un instant que sa tête avait heurté le sol.

Au lieu de cela, il vit qu'elle le dévisageait avec des yeux ronds.

— Cade St. John ?

Elle avait prononcé son nom d'un ton mi-stupéfait, mi-accusateur.

— Le duc de Raleigh ?

Il fut complètement pris de court par le fait d'être ainsi reconnu. Leur prisonnière lui avait paru familière, mais il n'était pas parvenu à l'identifier. Elle, en revanche, le connaissait. Elle avait une longueur d'avance sur lui, et il détestait cela.

— Comment me connaissez-vous ? demanda-t-il en se redressant légèrement, assez pour la laisser respirer sans la libérer complètement.

Ses lèvres se retroussèrent en un rictus de mépris sur ses dents blanches.

— Espèce de traître ! Le roi Easton vous a invité à l'accompagner ! Comment avez-vous pu trahir un homme aussi bon ?

Tout en parlant, elle s'était mise à se débattre farouchement. Il fit de son mieux pour l'immobiliser de nouveau. Malgré tous ses efforts, il vit le crochet se rapprocher de nouveau de son visage, tandis qu'une pluie de coups de pied lui meurtrissait les mollets.

Elle était folle de rage, incontrôlable. En une fraction de seconde, comme sur le champ de bataille, Cade se débarrassa de tout sentiment de pitié, d'humanité. Il devait se défendre, l'empêcher de le blesser. De sa jambe gauche, il lui entrava le bas du corps. Et il se laissa tomber sur elle, écrasant sa poitrine pour l'empêcher de respirer.

Puis il s'attaqua à ce maudit crochet en lui attrapant le poignet et en appuyant exactement là où les tendons se rejoignaient. Elle poussa un cri et ses doigts s'ouvrirent instantanément. Il lui secoua la main, une fois, deux fois, et elle lâcha enfin son arme, qui tomba en cliquetant sur le sol. Il vit qu'il s'agissait de la poignée de la lanterne, qu'elle était parvenue à détacher.

Un long silence s'ensuivit, interrompu seulement par le bruit de leurs respirations. Mais Cade se refusait à la relâcher si vite. Cette furie l'avait pris de court. Elle l'avait démasqué, avait fait couler son sang.

Dans leur combat, sa robe avait glissé de quelques centimètres. Et là, tout contre son torse, un sein nu en dépassait.

Cade se souleva légèrement pour la laisser respirer et étudia cette parfaite œuvre d'art dans son écrin de satin, avec une fascination qu'il ne chercha même pas à dissimuler. L'air froid de la cave en avait durci l'extrémité, et il sentit une violente excitation s'emparer de lui. Il prit soudain conscience des hanches de la jeune femme sous les siennes, de la perfection de ses formes, de la chaleur de son corps, encore accrue par leur lutte.

— Qui êtes-vous ? murmura-t-il d'une voix rauque.

Elle le regarda droit dans les yeux, un bras cloué au sol au-dessus de sa tête, l'autre le long de son corps. Puis elle déglutit visiblement.

— Ellie. Je m'appelle Ellie.

— Ellie, répéta-t-il.

Le nom lui allait bien. Il était doux, élégant...

Cade, qui n'était plus à un scandale près, laissa son regard dériver vers le sein que la robe avait dévoilé. Dommage que son jumeau ne fût pas visible lui aussi.

Puis, parce que ses années dans l'armée du Korosol lui avaient inculqué un minimum d'honneur, il s'arracha à ce ravissant spectacle. Il relâcha très lentement sa prisonnière, tous ses sens en alerte au cas où elle déciderait de passer de nouveau à l'attaque.

Il relâcha le bras de sa compagne et laissa sa main glisser doucement le long de son corps. Une lueur de panique éclata dans le regard de la jeune femme et elle lui agrippa le poignet. D'accord, peut-être s'était-il attardé un peu trop longtemps sur sa hanche. Mais jamais il ne la toucherait de cette façon sans sa permission. Jamais il n'avait brutalisé une femme.

Il en avait juste kidnappé une...

Avec un soupir, il se redressa et remonta pudiquement la couverture sur sa poitrine. Il lut une lueur d'intense gratitude dans le regard de la jeune femme et faillit sourire. Les joues d'Ellie avaient déjà repris des couleurs.

Une étrange émotion s'empara de lui à la vue de tant de douceur, de beauté, de vulnérabilité. L'espace d'un instant, il fut pris d'une inexplicable envie de l'embrasser. Paniquerait-elle s'il se contentait d'effleurer ses lèvres d'un seul petit baiser ?

— Désolé d'avoir dû recourir à la force, murmura-t-il. Mais vous ne m'avez guère laissé le choix.

Il s'approcha lentement d'elle, vit ses lèvres s'entrouvrir. En signe de peur ? D'invitation ?

— Vous êtes vraiment très spéciale, vous savez ça ?

Il était désormais assez proche d'elle pour sentir la chaleur de son souffle. Elle était si douce… si tentante… Un fruit mûr, sucré, appétissant. Et défendu.

Ellie ?

Il se figea brusquement.

— Ellie Standish ? La secrétaire du roi ?

Elle acquiesça. Cade se releva d'un bond et s'éloigna, passant une main dans ses cheveux. Bon sang, c'était le comble ! Il n'arrivait pas à le croire.

Ellie se leva à son tour, tentant maladroitement de rester enveloppée dans la couverture. Les frous-frous de sa jupe et la chaîne attachée à sa cheville ne l'aidaient guère. Mais Cade ne fit pas un geste pour l'aider.

— Mais qu'est-ce que vous faites là ?

Elle lui glissa un regard furieux, et il leva une main en signe d'apaisement. Evidemment. C'était une question stupide.

— Je pensais bien vous avoir déjà vue quelque part mais…

Il s'interrompit, tentant de faire coïncider l'image de cette beauté sauvage et voluptueuse avec celle de la timide jeune femme qui accompagnait le roi partout où il allait. Ce fut en vain. Evidemment, les vêtements tristes et amples qu'elle portait habituellement ne lui facilitaient pas la tâche.

— Vous êtes Ellie Standish.

— Je crois que vous pouvez arrêter de le répéter, à présent.

Elle fit un mouvement de tête pour chasser ses cheveux de ses yeux, mais ses mèches couleur d'or mat refusèrent d'obéir. Elle dut lâcher la couverture d'une main pour dégager son front, puis l'agrippa de nouveau comme si sa vie en dépendait.

— Je suppose que le fait de savoir mon nom ne vous poussera pas à me libérer plus vite ?

Elle connaissait la réponse, aussi Cade resta-t-il silencieux. Honteux d'avoir voulu l'embrasser, il ramassa son masque et le remit sur sa tête, mais ne le rabaissa pas. Il voulait qu'elle voie son expression, qu'elle comprenne à quel point il était sérieux.

— Je suis désolé que vous vous soyez trouvée mêlée à tout ça, déclara-t-il. Mais je ne peux pas...

Il s'interrompit. Comment lui expliquer la complexité de la situation ? Comment lui promettre qu'il la protégerait quand il ne savait même pas qui se trouvait derrière toute cette affaire ?

— Je ne veux pas qu'il vous arrive quoi que ce soit, reprit-il. Mais vous devez comprendre que j'ai un travail à faire.

— Combien vaut une princesse sur le marché, aujourd'hui ? demanda-t-elle d'un ton méprisant.

Il soupira, se sentant soudain misérable. Mais en tant que fils de Bretford St. John, ce sentiment de honte lui était familier.

— Vous devez garder votre véritable identité secrète. Mes partenaires sont des hommes dangereux. Seul l'argent les intéresse. Ils n'hésiteront pas à tuer quelqu'un qui les a trompés, même si l'erreur vient d'eux.

— Je suppose que Paulo Giovanni ne les a pas trompés ? Quelle était leur raison pour le tuer ?

— Aucune. Et c'est bien là le problème.

Au lieu de se mettre à pleurer, ou de le supplier, elle avança vers lui. Le cliquetis de sa chaîne rappela à Cade les vieilles histoires de fantômes de son enfance. Bon sang, n'avait-elle donc peur de rien ?

Il avait beau la dominer d'une bonne tête, la façon dont elle le foudroya du regard lui donna l'envie de se faire tout petit.

— Combien vous paie-t-on pour trahir le roi Easton ? C'est un homme de bien. Un souverain juste et généreux. Et il adore ses petites-filles. J'ose à peine imaginer ce qu'il fera à quiconque s'attaque à elles.

Elle avait raison. Avec sa puissance et sa fortune, Easton était un homme dangereux.

— Et vous ? répliqua-t-il, préférant l'attaque à la défense. Vous n'êtes pas sa petite-fille. Vous croyez qu'il sera aussi pressé de vous retrouver ?

Il vit qu'il avait touché dans le mille. Une lueur d'incertitude éclata dans son regard, et la jeune femme baissa les yeux.

— Je ne sais pas, confessa-t-elle d'un filet de voix. Vous vous inquiétez à l'idée de ne pas être payé ?

— Je m'inquiète de…

Cade s'interrompit juste à temps. Ce qu'il s'était apprêté à dire n'avait rien de professionnel. Mais quelque chose d'inexplicable le poussait à rassurer sa prisonnière, à vouloir la protéger. Or, il ne voyait pas comment faire cela, à moins de la libérer. Et il ne pouvait pas faire une chose pareille. Il avait un travail à accomplir, il l'accomplirait jusqu'au bout.

Mais s'il ne pouvait pas lui offrir la liberté, il pouvait en revanche lui donner un conseil.

— N'essayez plus de vous échapper, d'accord ?

— Je ne peux rien vous promettre.

Ce n'était évidemment pas la réponse qu'il avait espérée.

— Ellie, écoutez-moi…

— Hé, Sinjun ! Qu'est-ce que tu fais ?

La porte de la cave s'ouvrit et une odeur âcre de cigarette précéda l'arrivée de Jerome.

— Je t'ai dit d'aller voir si elle avait besoin de quelque chose, ironisa-t-il. Pas de prendre du bon temps avec elle !

Cade recouvrit son visage et fit un pas en arrière avant que Jerome n'apparaisse enfin dans la lumière.

— La princesse était inquiète pour sa sécurité, expliqua-t-il d'un ton neutre.

— Détendez-vous, Votre Altesse. Personne ne vous veut de mal. Je serai votre garde du corps personnel, ajouta-t-il en caressant la joue d'Ellie du dos de la main.

Elle le repoussa sans ménagement, évitant à Cade d'avoir à égorger Jerome. Ce n'était pas l'envie qui lui en manquait, mais il ne devait pas laisser ses sentiments personnels interférer avec son travail.

Heureusement, son acolyte se mit à rire et se dirigea de nouveau vers l'escalier.

— Ces trois jours vont vous paraître longs si vous refusez de sympathiser avec le personnel.

— Trois jours ?

— Allons, ma belle, il ne vous arrivera rien. Tant que vous ne connaissez pas nos identités, vous êtes en sécurité. Nous n'avons aucune raison de ne pas vous libérer.

Puis il se tourna vers Cade et ajouta :

— Tu prends le premier tour de garde. Réveille Lenny à 7 heures pour qu'il te relève.

— D'accord.

Après le départ de Jerome, Cade resta où il était. Peut-être devait-il dire quelque chose à propos du fait qu'il avait failli l'embrasser. Lui expliquer pourquoi. Lui demander aussi comment elle produisait cet effet sur lui.

Mais il garda le silence. Le moment était mal choisi pour s'inquiéter de ce genre de chose. Si elle avait été une femme expérimentée, ils auraient pu dans leur intérêt mutuel régler le problème par un rapport sexuel. Mais il avait le sentiment qu'Ellie Standish n'était guère une experte en la matière...

— Trois jours à faire croire que je suis une princesse, dit-elle en soupirant. Et vous savez le plus drôle ? C'est que je n'ai même pas eu ma danse...

Cade ne croyait pas aux contes de fées. Mais la culpabilité, ainsi que son admiration pour la force de caractère d'Ellie, le fit plonger sa main dans sa poche droite et s'avancer vers elle.

— Tenez. Ce n'est pas un chausson de vair, Cendrillon, mais c'est déjà ça.

Ellie se leva et recula d'un pas, prudente, avant de soupirer d'aise en reconnaissant l'objet qu'il lui tendait. Ses lunettes.

— Enlevez vos lentilles et reposez-vous un peu. Vous en avez besoin.

— Merci, Cade.

— Ne me prenez pas pour le prince charmant, bougonna l'intéressé. Lundi soir, vous n'aurez peut-être plus envie de me remercier.

Elle leva son regard bleu sur lui. Après ce que Jerome venait de dire, la menace était claire.

Elle avait vu son visage. Elle l'avait reconnu.

Cadence St. John, le duc de Raleigh.

Princesse ou non, elle avait signé son arrêt de mort.

4.

— C'est pour aujourd'hui ou pour demain, princesse ?

Ellie ignora la question de Lenny, posté de l'autre côté de la porte, et attacha le lacet du pantalon de treillis qu'elle venait d'enfiler.

Si quelqu'un lui avait dit un jour qu'elle prendrait plaisir à s'attarder dans une cabane qui faisait office de toilettes extérieures, elle n'y aurait pas cru. Mais en dépit de la fosse malodorante qui se trouvait juste derrière elle, elle était ravie d'avoir été autorisée à quitter sa cave.

Se faire passer pour quelqu'un d'autre s'avérait extrêmement fatigant. Elle ne relâchait pas son attention un seul instant, se forçait à se comporter comme elle s'imaginait que Lucia le ferait. Elle n'avait pas le temps de réfléchir, comme la véritable Ellie aimait à le faire.

Elle se laissa tomber sur le banc installé près du trou, soudain nauséeuse. Elle posa sa tête sur ses genoux pour se ressaisir et stopper la panique qui rôdait aux portes de sa conscience.

Mais quel espoir avait-elle de survivre ? Elle avait reconnu Cade St. John. Et même si le roi Easton ne la sacrifiait pas intentionnellement, lui ou quelqu'un de son entourage pouvait fort bien laisser échapper que ce n'était pas Lucia qui avait été enlevée.

Ellie prit une profonde inspiration et se redressa. Elle devait trouver un moyen de s'en tirer. Seule, et maintenant !

Sa tentative de la veille n'avait été motivée que par le désespoir. Elle s'était stupidement imaginé qu'elle pourrait vaincre ses trois ravisseurs. A la lumière du jour, l'idée lui paraissait incongrue. Elle devait réfléchir avant d'agir.

Elle prit la chemise à motif camouflage suspendue à un crochet au mur et continua de s'habiller. Ses kidnappeurs s'étaient montrés un peu plus cléments en l'autorisant à sortir pour utiliser les toilettes et en lui fournissant des vêtements de rechange.

Le soleil l'avait d'abord éblouie, mais elle avait inspiré de toutes ses forces l'air frais du matin, si différent de celui, lourd et humide, qu'elle respirait dans sa prison. C'était un magnifique jour de printemps, qui n'était pas sans lui rappeler le Korosol.

Penser à son pays natal lui donna un regain de courage, excita son appétit de liberté. Et lui fit se demander ce qui avait pu pousser son compatriote Cade St. John à trahir son roi.

Pourtant, les attentions qu'il avait eues à son égard – lui rendre ses lunettes, lui apporter de l'eau fraîche et une couverture – collaient fort peu à l'idée qu'elle se faisait d'un traître. Sans doute parce qu'elle regardait trop de films, et que, dans le monde réel, les méchants n'avaient pas forcément la tête de l'emploi.

Mais ce qui l'inquiétait le plus dans cette affaire n'était ni la duplicité de Cade, ni même les menaces qui pesaient sur sa propre vie. Non, c'était sa fascination pour le duc de Raleigh qui la troublait. Tout séduisant qu'il soit, il était son geôlier, son ennemi. Pourtant, telle Eve et le fruit défendu, elle se sentait irrésistiblement attirée par son étonnant mélange de douceur et de force. Et cela lui faisait peur.

Elle s'immobilisa un instant, songeant à la façon dont il avait regardé son sein nu. D'abord, elle s'était sentie affreusement vulnérable. Puis elle avait lu d'étranges émotions dans le regard de son compagnon. Du désir. De la chaleur. Ses iris couleur indigo s'étaient assombries, et elle avait senti un curieux picotement lui parcourir les seins en réponse à ce changement.

Une chaleur inattendue s'éveilla en elle à ce souvenir. C'était une sensation similaire à celle qu'elle avait éprouvée lorsque Cade l'avait clouée au sol de tout son poids. Jamais auparavant elle n'avait été si proche d'un homme, jamais elle n'avait senti un corps contre le sien.

Effrayée par la tournure de ses pensées, elle ferma les yeux et s'efforça de se ressaisir, de revenir à l'instant présent. Elle regrettait presque de ne pas avoir sa mère, son père ou son frère pour la réprimander et la remettre dans le droit chemin. Etre attirée par Cade St. John, c'était d'une certaine façon se faire complice de son crime.

Avec un soupir, elle attacha ses cheveux en une longue natte et termina de s'habiller. Comme le pantalon, la chemise était trop grande, visiblement taillée pour un homme. Elle en roula donc les manches, puis remonta le col sur son cou.

— Oh non…

Un parfum qu'elle ne connaissait que trop imprégnait la chemise. Celui de Cade. Malgré elle, elle enfouit son nez dans le col et inspira une bouffée épicée, virile et exotique à la fois.

Mon Dieu… Elle devait vraiment s'enfuir avant de tomber amoureuse d'un homme qui en voulait à sa vie. Elle avait lu quelque part que c'était un syndrome courant, en cas d'enlèvement, que de fraterniser avec ses ravisseurs. Et il lui semblait qu'elle était déjà bien au-delà de l'étape « fraternisation ».

— Je vous donne deux minutes pour sortir, princesse. Après, je rentre.

La voix de Lenny lui fit l'effet d'une douche froide. Tout en attachant les tennis qu'on lui avait prêtées, elle élabora le meilleur plan qu'il lui était possible de faire en deux courtes minutes.

Le trajet de la maison jusqu'à la petite cabane lui avait offert un bref mais néanmoins exhaustif aperçu des environs. Un seul homme, la gardait en permanence, pendant qu'un deuxième patrouillait alentours et que le troisième se reposait.

Malgré l'absence de carte, elle avait également repéré à la position du soleil que la route de gravier qui passait devant la maison allait du nord au sud. Cela signifiait qu'elle était susceptible de trouver la civilisation dans l'une de ces deux directions.

La maison elle-même était située en bordure d'une forêt de chênes, de pins et d'érables. En s'éloignant un peu de la route, elle pénétrerait assez avant dans les bois pour que ses ravisseurs ne puissent la suivre qu'à pied.

Elle pouvait donc foncer vers la forêt, les y semer et suivre ensuite un trajet parallèle à la route mais à couvert pour aboutir... Dieu seul savait où. Cependant, elle n'avait rien à perdre.

Toute la difficulté consistait à prendre assez d'avance pour atteindre les arbres...

Ellie se leva, soudain déterminée. Elle inspira profondément, à deux reprises, avant d'essuyer ses paumes moites sur son pantalon. Elle voulait de l'aventure ? Elle allait en avoir.

Se hissant sur la pointe des pieds, elle glissa un regard à l'extérieur à travers l'ouverture en forme de croissant de lune percée dans le battant. Lenny lui tournait le dos, occupé à écrire dans un carnet noir. Non loin de là, Jerome se rasait devant un petit miroir, au-dessus d'un feu allumé à même le sol où chauffait une casserole d'eau. Cade n'était nulle part en vue. Avec un peu de chance, il dormait à l'intérieur.

Ellie ferma les yeux et fit une prière rapide. Puis elle souleva le loquet de bois, le plus silencieusement qu'elle put, et poussa de toutes ses forces contre la porte.

Le battant heurta Lenny de plein fouet, et elle se mit à courir sans oser se retourner. Dans son dos, Lenny beugla :

— Elle s'enfuit !

Il y eut des cris, d'autres jurons, le bruit de quelque chose qui tombait, des claquements de portes, d'autres cris. La forêt approchait. Les hurlements, derrière elle, lui permettaient d'estimer la position de ses ravisseurs sans avoir à se retourner. D'après la position du soleil, elle supposait qu'elle se dirigeait vers le sud-ouest.

Elle atteignit l'orée des bois et y plongea avec une énergie renouvelée. Les branches lui fouettèrent le visage et les avant-bras, mais elle n'en avait cure.

Lenny ne l'avait pas autorisée à porter de ceinture, estimant qu'il pouvait s'agir d'une arme potentielle, et il n'était pas aisé de courir avec un pantalon qui lui descendait sur les hanches. Ses chaussures trop grandes n'aidaient pas non plus et l'obligeaient à bondir comme un clown. Le spectacle, en d'autres circonstances, aurait sans doute été comique. Mais l'effort physique que cela exigeait d'elle lui ôtait toute envie de rire. Déjà, ses poumons la brûlaient, ses muscles criaient grâce.

— Princesse !

C'était la voix de Jerome. Elle semblait venir d'une direction différente, et elle en tira un regain d'énergie. Cent mètres. Elle calculait la distance à chaque enjambée. Encore cent mètres et elle bifurquerait vers le sud.

Elle avait fait un peu d'athlétisme dans sa jeunesse, dans l'espoir de perdre du poids. Elle avait cependant toujours détesté courir. Cela lui faisait mal aux jambes, aux hanches, au dos. Et elle n'avait jamais perdu le moindre gramme.

— Trente-deux, hoqueta-t-elle, se morigénant et se rappelant qu'elle n'avait de toute façon pas d'autre choix que de courir.

A une vingtaine de mètres derrière elle, elle entendit soudain un énorme craquement de broussailles. Terrifiée, elle puisa dans ses ultimes réserves d'énergie et accéléra.

Soixante et un.

Les troncs d'arbres s'éclaircirent et parurent se faire moins épais, mais elle continua de foncer tête baissée.

Quatre-vingts. Les arbres étaient à présent du diamètre de son bras, le sous-bois n'était plus aussi dense.

— Non !

Le cri franchit ses lèvres sèches. Elle ne disposait pas de cent mètres. Agrippant un tronc à l'écorce rêche, elle s'arrêta de justesse au bord d'une dénivellation brutale d'environ deux mètres qui donnait sur un tout autre univers.

Un lac. Elle avait couru quatre-vingt-dix mètres pour se retrouver au bord d'un lac. Elle regarda à gauche, regarda à droite, regarda à l'horizon les quelques embarcations qui flottaient sur les eaux bleu-gris. Elles étaient trop loin pour escompter les atteindre à la nage.

Désespérée, elle tendit l'oreille et essaya d'entendre quelque chose par-delà les battements de son cœur. Les cris avaient cessé, mais les craquements de branches se rapprochaient. Ellie se mit à courir en direction du sud, longeant le bord du dénivelé.

Un moteur ! Elle s'arrêta de nouveau, scruta la rive du regard en quête de l'origine du bruit et vit un bateau de pêcheur qui s'engageait dans une petite crique, cachée par un épaulement du terrain.

— Au secours !

Ellie bondit en avant et se hissa sur l'éminence qui dominait la crique. Du sommet, elle agita les bras.

— Au secours ! Aidez-moi !

Le pêcheur était-il sourd ? En tout cas, il ne parut pas réagir.

Elle s'apprêtait à appeler de nouveau lorsque son pied glissa sur un galet boueux. Elle tomba sur les fesses, ce qui eut pour effet de lui couper tout net le souffle.

Et lui permit de réaliser son erreur. En criant, elle avait signalé sa position.

Presque aussitôt, elle entendit un pas lourd marteler le sol derrière elle. L'un de ses ravisseurs l'avait entendue et fonçait dans sa direction tel un chien de chasse.

— Non…, murmura-t-elle. Aidez-moi…

Elle avait parlé d'un filet de voix, mais elle parvint à se remettre sur ses pieds et à dévaler la petite éminence qui donnait sur la crique. Le pêcheur venait d'amarrer sa barque à un ponton. Une cabane se dressait non loin de là.

Boitant plus qu'elle ne courait, à cause d'une horrible crampe qui venait de raidir son mollet droit, Ellie se précipita vers lui.

— Monsieur ?

Elle s'arrêta sur le petit chemin qui menait au ponton et rassembla ses dernières forces pour crier :

— Monsieur !

A l'autre bout de la jetée, le pêcheur se retourna.

Ellie, qui l'avait initialement pris pour un vieil homme du fait de ses cheveux blancs, constata qu'il avait au maximum soixante ans.

Clopin-clopant, elle avança dans sa direction. La liberté n'était plus très loin.

— S'il vous plaît, haleta-t-elle. J'ai… besoin… d'aide.

Il était terriblement difficile de parler et de respirer en même temps mais elle enchaîna :

— J'ai été kidnappée ! Il faut… appeler la police !

Elle trébucha au même instant sur une planche du ponton et s'affala de tout son long, ses jambes refusant de la porter plus longtemps. L'homme aux cheveux blancs se mit à tourner devant ses yeux, à quelques mètres d'elle. Il n'avait pas bougé.

— Aidez-moi, s'il vous plaît, murmura-t-elle comme ses dernières forces l'abandonnaient.

Cade courait parmi les arbres, se guidant au son de la voix d'Ellie. Il avait laissé les deux autres loin derrière lui. Il avait bondi de son canapé en entendant Lenny donner l'alarme et ne s'était pas arrêté de courir depuis.

Il ignorait comment elle avait pu courir aussi vite et aussi loin. Lui-même était hors d'haleine.

Il l'entendit appeler de nouveau et infléchit sa course vers la gauche. Une dernière pente à gravir et…

Il lâcha un juron en arrivant au sommet de l'éminence donnant sur le lac. Ellie était déjà descendue et s'approchait d'un type en ciré sur le ponton. Mais elle s'effondra avant de l'atteindre.

— Ellie ! appela-t-il.

Puis, se rappelant que ses acolytes n'étaient pas loin, il corrigea aussitôt :

— Princesse !

Il sentit les yeux du pêcheur se tourner instantanément vers lui, et son instinct bien rôdé de soldat mit tous ses sens en alerte. Quelque chose n'allait pas.

Au prix d'un effort de volonté, Cade parvint à descendre lentement de l'éminence. Il était inutile d'alarmer le pêcheur. Bottes boueuses, chemise à carreaux et veste verte, il n'y avait rien de remarquable dans le tableau qu'il offrait. L'homme avait l'air très ordinaire. Mais quelque chose clochait.

Comme par exemple le fait qu'il ne se précipitait pas pour aider une jeune femme qui venait de s'effondrer à quelques pas de lui. Ou comme le fait que Cade, pourtant armé, ne semblait pas l'effrayer.

— Je vous en prie...

La voix d'Ellie le ramena soudain à la réalité. Résistant à l'impulsion qui le poussait à se précipiter vers elle pour s'assurer qu'elle allait bien, il se contenta de fixer le pêcheur d'un air affable.

— Bonjour.

Le pêcheur lui répondit d'un signe de tête. Sans précipitation, Cade s'approcha de la jeune femme, s'agenouilla et plaça une main sur son épaule. Elle eut un mouvement pour se dégager, mais il était évident qu'elle était épuisée. Il la sentait trembler de tous ses membres.

Il lui massa doucement les épaules, dans l'espoir de donner au pêcheur l'impression qu'il n'y avait pas matière à s'inquiéter. Il devait ramener Ellie à la maison avant que Jerome et Lenny ne débarquent et n'effraient le pêcheur, ou pire...

Puis il la prit dans ses bras. Une nouvelle fois, elle voulut se débattre, mais elle avait à peu près autant d'énergie qu'un agneau nouveau-né.

— Ça va aller, ma belle. Je vous tiens.

Il avait dit « ma belle » sans réfléchir, et vit les yeux bleus d'Ellie s'arrondir derrière ses lunettes.

Il la déposa un peu brutalement sur ses pieds, troublé. La jeune femme vacilla, mais il la retint d'une main ferme et réprima un accès de compassion. D'accord, elle souffrait. Et c'était à cause de lui, quoi qu'il veuille bien en dire. Mais son travail passait avant tout, et il ne pouvait se permettre de céder à l'apitoiement. Il devait protéger ses propres intérêts.

Et pour le moment, cela signifiait partir d'ici au plus vite, avant que le pêcheur ne s'avise de jouer les chevaliers servants.

— Comment va la pêche ? demanda-t-il d'un air détaché, serrant Ellie contre lui.

— Pas mal.

Cade vit que le doute commençait à se refléter dans les yeux de son interlocuteur. Allait-il réviser sa position et tenter de voler au secours d'Ellie ? Cade se tenait prêt à toute éventualité.

— Elle va bien ? demanda le pêcheur.

Cade ne répondit pas aussitôt. Non parce qu'il ne savait pas quoi dire, mais parce que la voix de l'homme, sa façon de précipiter les mots, lui semblait familière. Il lui semblait l'avoir déjà entendue. A la télévision ? A la radio ? Peut-être s'agissait-il d'une célébrité qui venait chercher un peu de tranquillité et d'anonymat. Ce qui expliquait sa réticence à aider Ellie.

Cade parcourut en hâte le catalogue des visages qu'il connaissait, en vain. L'homme n'avait d'ailleurs rien de remarquable à part une légère cicatrice au coin de l'œil gauche et ses cheveux d'une blancheur de neige.

Se forçant à sourire, Cade attira Ellie contre lui et pivota légèrement pour la soustraire au regard du pêcheur et s'intercaler entre eux.

— Je suis le garde du corps de cette jeune femme, expliqua-t-il. Nous avons eu une petite frayeur à la maison mais tout est réglé. Merci beaucoup, monsieur… Monsieur ?

C'était une tactique plutôt éculée, mais il n'avait rien à perdre à essayer.

— Costa. Tony Costa.

De nouveau, il fouilla sa mémoire. Pas de Tony Costa.

— Merci, monsieur Costa. Au revoir.

— Monsieur Costa…, murmura Ellie, pourquoi ne m'aidez-vous pas ?

— Tout va bien, dit Cade d'un ton rassurant. Vous n'avez plus rien à craindre. Nous allons laisser monsieur Costa tranquille, maintenant.

Il fit un signe de tête au pêcheur, qui toucha son chapeau du bout des doigts.

— M'dame.

Les doigts d'Ellie se refermèrent sur la chemise de Cade, mais elle était trop faible pour tenter quoi que ce soit. Elle ne tenait debout que grâce à son soutien. Il la força à pivoter et l'entraîna vers la rive.

Ils n'avaient pas fait quelques pas que les jambes d'Ellie se dérobèrent de nouveau. Sans effort, Cade la souleva dans ses bras et pressa l'allure. Il attaqua la pente, prenant garde de ne pas glisser sur les rochers qui affleuraient. Le retour, décidément, ne s'annonçait pas facile.

Une fois parvenu au sommet du promontoire, il risqua enfin un regard en arrière. Costa était agenouillé sur le ponton et finissait d'y attacher son bateau. Sa rencontre avec Ellie paraissait lui être sortie de l'esprit.

Cade se détendit quelque peu. Il devait à présent ramener leur otage à la maison avant que Lenny et Jerome n'arrivent jusqu'ici.

— Est-ce que vous pouvez mettre vos bras autour de mon cou ? demanda-t-il. Ça m'aidera à vous porter.

Il la vit hésiter, tandis qu'une moue rebelle plissait ses charmantes lèvres. Parfait. Ses muscles avaient beau être épuisés, son esprit était intact. Cade faillit se mettre à rire en avisant son regard assassin, indomptable.

— S'il vous plaît ? insista-t-il comme elle ne réagissait pas. Vous me ferez un sermon plus tard. Pour le moment, nous allons rentrer à la maison. Si vous ne vous tenez pas à moi et que je glisse, vous pourriez vous faire mal.

Elle ne répondit pas, mais obéit enfin. Il frissonna lorsque les doigts d'Ellie effleurèrent la peau de son cou, le caressèrent involontairement comme elle cherchait la meilleure prise. Cade s'efforça de demeurer impassible, de ne rien trahir de ce qu'il ressentait.

De toute façon, il aurait été bien incapable de dire ce qu'il ressentait. A part peut-être l'impression qu'il pouvait rester des heures avec cette femme dans les bras.

Ellie ne ressemblait à aucune des filles qu'il connaissait. Elle ne savait pas se comporter avec un homme, ne savait pas jouer de ses atouts pour obtenir de lui ce qu'elle désirait. Ou du moins, elle ne le faisait pas consciemment. Car il se trouvait bien davantage prisonnier de son charme qu'avec aucune autre. Il y avait en elle quelque chose d'étrange, de magnétique, qui le poussait à vouloir la protéger, l'aider, dans l'espoir qu'elle daignerait un jour lui accorder un sourire, peut-être même un baiser.

— Accrochez-vous mieux, maugréa-t-il. Je ne vais pas me casser.

Il l'attira plus étroitement contre lui, se répétant mentalement qu'il ne faisait cela que pour mieux la tenir, et non pour mieux sentir la douceur de ses courbes.

— Allons-y, dit-il d'une voix rauque. Vous me faites confiance ?

— Sûrement pas ! murmura-t-elle avec force, tout contre son cou.

Cette fois, Cade renversa la tête en arrière et se mit à rire. Cela faisait longtemps qu'une telle chose ne lui était pas arrivée, et il eut l'impression qu'un rayon de soleil entrait en lui, éclairait des lieux restés longtemps fermés et silencieux.

Il se mit enfin en marche, rapportant son précieux trophée à la maison.

5.

— Reposez-moi à terre.

Il fallut à Ellie quelques minutes pour retrouver ses forces, ses esprits et son instinct de survie. Les trois lui revenaient soudain, et lui faisaient prendre conscience du ridicule de sa tentative d'évasion. Celle-ci avait été vouée à l'échec dès le départ.

Les bras de Cade, autour d'elle, l'emprisonnaient aussi sûrement que la chaîne qui l'attendait dans la cave. Ellie ignorait quelle distance elle avait parcouru dans sa fuite désespérée, mais le trajet du retour lui parut interminable.

De la même manière qu'il l'avait aisément dominée lorsqu'elle l'avait attaqué, dans la cave, il n'avait eu aucun mal à la rattraper. Un aigle à la poursuite d'une colombe. Il ne lui avait pas laissé la moindre chance.

En un autre temps, en d'autres lieux, elle aurait peut-être trouvé infiniment excitant d'être enlevée de cette façon par un homme aussi troublant, jetée en travers d'un destrier noir et emportée au galop. Elle imaginait aisément Cade en armure brillante, une longue épée au côté en lieu et place de son pistolet...

Voilà qu'elle délirait. Sans doute à cause du manque d'oxygène après sa course folle. Mais elle devait bien admettre que le dernier homme à l'avoir portée dans ses bras était son père… Quand elle tombait de vélo et qu'il la soulevait pour la ramener à la maison, Ellie avait toujours éprouvé une intense sensation de bien-être et de réconfort.

C'était une réaction tout autre que Cade éveillait aujourd'hui en elle. Il lui semblait qu'ils ne faisaient qu'un seul corps tant il la tenait serrée, et cette idée la troublait. Il se déplaçait avec la souplesse et la sensualité d'un félin. Ellie se surprit à étudier ses yeux indigo, le début de barbe qui couvrait ses joues, les cheveux soyeux qui, sous ses doigts, recouvraient sa nuque. Elle aurait aimé découvrir ce corps plus avant…

Elle se morigéna aussitôt. C'était une idée dangereuse, née de son inexpérience et de cette promiscuité à laquelle elle n'était pas habituée. Elle ne devait pas oublier que Cade était un mercenaire. Qu'il n'obéissait qu'à une loi : la sienne.

Mais il avait éveillé quelque chose en elle. De tous les hommes qu'elle connaissait, lui seul avait réussi à exciter son désir d'aventure, à briser le cocon douillet et un peu triste qu'elle avait tissé autour d'elle. Elle voulait explorer ces émotions nouvelles.

Et elle voulait Cade comme professeur.

Elle se rappela tout aussi brutalement qu'elle n'était qu'une monnaie d'échange pour lui, ce qui eut pour effet de doucher ses hormones chauffées à blanc. Cade n'était pas un preux chevalier libérant une princesse. Il était un ennemi du roi. Et comme personne ne volerait à son secours, elle devrait se tirer de ce mauvais pas par elle-même.

— Reposez-moi, répéta-t-elle.

— Ne soyez pas ridicule, commença-t-il. Vos jambes…

Elle se débattit farouchement, sans lui laisser le temps de finir sa phrase, et il fut bien obligé de la relâcher. Elle n'était pas stupide au point d'essayer de fuir de nouveau mais elle pouvait au moins marcher jusqu'à la maison.

Elle n'avait pas parcouru deux mètres qu'une violente douleur lui transperça le mollet droit. Elle serra les dents, l'ignora et continua d'avancer.

— Ellie…

Ignorant son avertissement, elle poursuivit son chemin.

— Ça suffit.

Les mains de Cade se refermèrent sur ses épaules et y exercèrent une pression suffisante pour la faire asseoir. Elle ferma les yeux et envisagea un instant de lutter, de refuser son aide. Mais son sens pratique finit par l'emporter, et elle s'installa contre le tronc d'un chêne blanc.

Cade s'agenouilla près d'elle, défit le lacet qui fermait le bas de son pantalon de treillis et commença de lui palper doucement la jambe, éveillant toutes sortes de sensations en elle. Elle se rappela que c'était ses vêtements qu'elle portait, perçut de nouveau – ou s'imagina percevoir – une bouffée de son parfum…

— Je vais bien, déclara-t-elle brutalement, repoussant ses mains expertes.

— Menteuse.

Il lui souleva délicatement la jambe et la fit pivoter légèrement pour tester ses articulations.

— Vous ne pouviez plus marcher, au lac. Et maintenant, vous boitez. Laissez-moi regarder ça.

Sa main remonta au-dessus de son genou, sous l'arrondi de sa cuisse, et la jeune femme prit une soudaine inspiration. Cade guettait ses réactions pour établir son diagnostic, et elle fit de son mieux pour arborer une mine impassible. Elle se sentait incroyablement tendue, son cœur battait à tout rompre. Pourtant, cette sensation était étrangement agréable. Elle aimait qu'il la touche. Toutes les femmes réagissaient-elles ainsi à ce qui n'était après tout qu'un examen clinique, dénué de toute sensualité ? Ou était-elle si frustrée qu'un rien la troublait ?

Cade continua son auscultation, faisant courir ses mains sur son mollet, la caressant presque. C'était une autre des choses qui l'étonnait. Comment une telle brute pouvait-elle être capable de tant de douceur ?

— Vous pourriez me jeter en travers de votre épaule et me ramener à la maison, fit-elle valoir. Pourquoi m'aidez-vous ?

— Tout simplement parce que vous avez besoin d'aide. Il n'y a rien de mal à se laisser aller et à se reposer sur quelqu'un d'autre, pour une fois.

— Sans doute, mais pas sur vous ! Je n'ai pas besoin de votre aide et… Aïe !

Tous les muscles de son corps parurent se tétaniser lorsqu'il appuya soudain sur un point terriblement douloureux de son mollet.

— C'est là, n'est-ce pas ?

Il entreprit de masser le point en question, et Ellie sentit des larmes lui monter aux yeux. Il lui semblait qu'on lui plantait un poignard dans la jambe, et la douleur irradiait jusqu'à la racine de ses cheveux.

— Arrêtez, s'il vous plaît…

— Je sais que ça fait mal, et je sais que vous ne voulez pas de mon aide. Mais je vous l'offre quand même. Détendez-vous.

Se détendre ? Près d'un homme qui tantôt faisait naître les pires fantasmes dans son esprit, tantôt la torturait ? Elle serra la mâchoire, refusant de pleurer devant lui.

Pour se distraire de la douleur, elle profita du fait qu'il lui tournait presque le dos pour l'observer. Ses larges épaules tendaient sa chemise au moindre de ses mouvements. Son regard descendit le long de son dos, et elle imagina les faisceaux de muscles qui plongeaient jusqu'à sa taille étroite.

Ses yeux s'arrêtèrent d'abord sur ses fesses, puis sur le petit carnet noir qui dépassait de sa poche arrière. Un soudain accès de curiosité lui fit presque oublier, durant quelques secondes, sa terrible crampe. Elle avait vu Lenny écrire dans ce genre de carnet. S'agissait-il du même ? Le géant pouvait l'avoir lâché lorsqu'elle l'avait heurté avec la porte. Peut-être Cade l'avait-il ramassé en se lançant à sa poursuite.

Il était peu probable qu'il eût fait une chose pareille pour rendre service à Lenny, alors que leur otage était en train de s'enfuir. Si Cade s'était arrêté pour le ramasser, c'était que ce carnet était important. L'avait-il volé ? Et si oui, dans quel but ?

Ellie tendit doucement la main vers le carnet. Au même moment, son compagnon se tourna à demi vers elle.

— Ça va ? Vous tenez le coup ?

Elle eut le réflexe de retirer sa main juste à temps, et il parut ne s'apercevoir de rien.

— Je vais bien, mentit-elle.

Puis la douleur s'évanouit brusquement, et son muscle se détendit comme un ressort. Elle poussa un soupir de bien-être et s'appuya avec soulagement contre le tronc du chêne, oubliant momentanément Cade et son carnet sous l'effet du bien-être qui montait en elle.

— Merci beaucoup.

Il tressaillit visiblement, comme s'il ne s'était pas attendu à sa gratitude. Puis il rabaissa la jambe de son pantalon et la rattacha.

— Je vous en prie. Ça sera peut-être sensible quelques jours, mais vous devriez pouvoir marcher.

Cade se redressa, lui tendit la main et l'aida à se lever. Ellie posa le pied par terre avec précaution, testant sa jambe. Tout paraissait fonctionner normalement.

Elle voulut se mettre en marche, mais le large torse de Cade lui bloqua soudain le chemin. Intriguée, elle infléchit sa direction et, de nouveau, son compagnon se mit en travers de sa route.

— Qu'est-ce qui se passe ? demanda-t-elle, prise d'une vague appréhension.

Elle avait involontairement reculé jusqu'à se trouver dos au chêne. Cade s'approcha d'elle, et elle commit l'erreur de lever les yeux vers lui. Elle se retrouva aussitôt captive de son regard indigo.

Il posa une main sur l'écorce du chêne, juste au-dessus de sa tête, et se pencha vers elle. Ellie eut un hoquet paniqué en sentant la chaleur de son corps se diffuser au sien. Tout doucement, il repoussa une mèche de son front et la cala derrière son oreille.

— Avez-vous la moindre idée des soucis que vous me causez, Ellie Standish ? murmura-t-il, suivant d'un doigt le contour de son oreille.

Sa voix était douce, dénuée de toute note comminatoire. On y percevait au contraire la même bonne humeur que lorsqu'il avait éclaté de rire, après qu'elle lui avait dit qu'elle ne lui ferait jamais confiance.

— Vous voulez dire, princesse Lucia ? rétorqua-t-elle.

— Je veux dire Ellie Standish.

S'était-il rapproché, ou se l'imaginait-elle ? Bon sang, si seulement elle avait été un peu plus expérimentée, elle aurait su comment réagir.

Elle décida de prendre sa question au sens littéral. Au moins, avec une réponse honnête, elle ne risquait pas de se ridiculiser. Elle ouvrit les yeux et parla à son torse, évitant le piège de son regard.

— Je n'ai jamais causé de soucis à quiconque de ma vie entière.

— Jamais ?

— Non.

Elle redressa involontairement la tête.

Seigneur, comme il était proche ! Si proche qu'elle le voyait très clairement par-dessus ses lunettes. Si proche qu'elle sentait son souffle contre sa joue. Elle déglutit et le vit baisser aussitôt les yeux vers sa gorge. Elle déglutit une nouvelle fois, et ses yeux descendirent encore plus bas, vers la naissance de ses seins, que soulevait une respiration de plus en plus saccadée.

C'était une nouvelle forme de torture, qui l'effrayait bien plus que toutes les chaînes et toutes les armes du monde. Quelque chose semblait lui glisser sous la peau et l'attaquer là où elle était la plus vulnérable, parfaitement incapable de se défendre.

— Pourquoi est-ce que vous me faites ça ?

— Pourquoi est-ce que je vous fais quoi ?

— Je ne sais pas, confessa-t-elle d'une voix étranglée.

Dans les livres, la différence entre les bons et les méchants était toujours claire. Avec Cade, la frontière était trouble, mouvante, parfois invisible. Il l'avait kidnappée. Mais il lui avait rendu ses lunettes. Il l'avait pourchassée. Mais il l'avait aidée à garder son identité secrète. Il la protégeait, puis la menaçait dans la seconde qui suivait.

— Je crois que vous jouez une sorte de jeu avec moi. Je suis désolée, mais je ne connais pas les règles.

Le doigt de Cade glissa sur sa joue, puis tapota le bout de son nez.

— Non, je suppose qu'une femme telle que vous les ignore...

Une femme telle que vous ? C'est-à-dire parfaitement quelconque ? Maladroite ? Inexpérimentée ?

Comme pour ajouter à son désarroi, il tourna soudain les talons et s'éloigna de quelques pas. Ellie resta immobile, rivée à son arbre, les ongles plantés dans l'écorce tendre.

Il y eut comme un déclic en elle, et elle s'entendit lancer :

— Si j'avais été une princesse, vous m'auriez embrassée ?

Cela eut pour effet de l'arrêter net. Il poussa un long soupir avant de se tourner.

— Vous vouliez que je vous embrasse ?

— Je...

Bonne question. Que voulait-elle, au juste ?

Honteuse de cette réaction instinctive, Ellie se détacha brusquement de l'arbre, remonta ses lunettes sur son nez et trouva le courage de le regarder droit dans les yeux.

— Non, bien sûr que non, répondit-elle avec morgue.

Puis elle redressa le menton et le dépassa, la tête haute, tout en se maudissant intérieurement pour sa maladresse.

Cade lui agrippa les poignets et, sans crier gare, la fit pivoter. Elle voulut lui donner un coup de poing, mais il l'esquiva sans effort.

— Lâchez...

Avant qu'elle pût protester, il l'embrassa. Ellie voulut crier, hélas, elle n'émit qu'un soupir étranglé. Elle se débattit, mais il la coinça de nouveau entre le chêne et lui, et l'y plaqua de tout son poids.

Elle faillit bien paniquer. Puis elle sentit la main qui enveloppait doucement son visage, la langue qui suivait le tracé de sa lèvre inférieure. Elle faillit sourire. Cette caresse lui évoquait les petits coups de langue d'un chat qui lapait du lait. Ou d'une impressionnante panthère noire...

Elle émit un son étrange, proche d'un gémissement, et entendit, comme en réponse, un rire sourd résonner dans la gorge de Cade. Elle s'empourpra aussitôt, mais les doigts de son compagnon glissèrent dans ses cheveux, la rassurèrent, lui intimèrent l'ordre silencieux de capituler.

Il avait relâché sa pression sur elle et n'était plus à présent que douceur, sensualité. Elle aurait aisément pu le repousser, le gifler, voire lui donner un coup de genou bien placé. Mais elle n'en fit rien.

Lorsqu'elle rouvrit les yeux, elle se retrouva captive d'un océan de pur indigo.

— Rien ne m'arrête quand je veux quelque chose, déclara Cade d'une voix de velours.

C'était donc ce que ce baiser signifiait ? Qu'il la désirait ? Instinctivement, elle referma les doigts sur le tissu de sa chemise. Les yeux de Cade s'assombrirent, tournèrent à l'orage. De nouveau, sa main enveloppa sa joue, son pouce lui effleura les lèvres. Elle les entrouvrit légèrement, taquina son doigt du bout de la langue. Mon Dieu, où avait-elle appris à faire une chose pareille ?

Il fondit sur elle et l'embrassa avec passion, sans retenue. Cette fois, Ellie ne songea pas à s'en offusquer. Une chaleur moite naquit au creux de son ventre, se diffusa doucement en elle. Jamais elle n'avait été aussi troublée de toute sa vie. Ses inhibitions s'étaient évanouies, elle était devenue l'espace d'un instant une autre femme, avide d'explorer tout ce que son corps avait à lui offrir.

Ce n'était pas la première fois qu'on l'embrassait. Robert Porter lui avait donné son premier baiser, en cinquième — si, du moins, on pouvait appeler baiser le fait de poser ses lèvres sur les siennes et de s'enfuir en courant. La deuxième fois, c'était elle qui s'était enfuie après avoir été embrassée par un palefrenier ivre, Hap Worth, dans la grange de ses parents.

Elle corrigea donc mentalement. On ne l'avait jamais embrassée. En tout cas, pas de cette façon…

Au moment où elle crut qu'elle ne pourrait en supporter davantage, et qu'elle allait s'évanouir de plaisir s'il s'avisait une nouvelle fois de lui mordiller la lèvre encore une fois, Cade se recula.

— Que… Qu'est-ce que vous faites ? bredouilla-t-elle.

— La dernière chose que je veux, c'est vous faire souffrir.

Elle fronça les sourcils, quelque peu désemparée. Puis décida de profiter du fait qu'il semblait, momentanément du moins, devenu le prince charmant de ses rêves.

— Dans ce cas, laissez-moi partir, Cade. Vous valez beaucoup mieux que ça.

— Vous plaisantez ? Je viens de vous embrasser de force. Je suis parfaitement méprisable.

— J'en avais envie, reconnut-elle. Simplement, je… je ne savais pas comment vous le demander, et je ne savais pas si vous en aviez envie et…

Elle s'interrompit soudain, consciente de pérorer comme une adolescente nerveuse. Elle prit ensuite une profonde inspiration, et dit de sa voix la plus profonde et la plus sensuelle :

— Je suis heureuse que vous m'ayez embrassée.

— Vous ne devriez pas dire systématiquement la vérité, Ellie. Ce genre de chose peut vous mettre en danger.

Il se détourna, passant une main dans ses cheveux. Ellie réprima une inexplicable envie de remettre de l'ordre dans ses boucles en bataille.

— Vous ne devriez pas vous attacher à un homme comme moi.

— Un homme comment ? repartit-elle en le contournant et en se plantant devant lui. Une partie de vous se refuse à me tuer, sans quoi vous ne masseriez pas mon mollet. Vous savez que vous avez capturé la mauvaise personne. Alors laissez-moi partir. Vous n'aurez qu'à dire aux autres que je vous ai échappé. Que le pêcheur m'a aidée.

— Que vous m'avez échappé ? A *moi* ?

Son incrédulité était presque insultante, mais Ellie était bien au-dessus de ce genre de considération. Elle le supplierait s'il le fallait.

— Vous savez que vous ne pourrez pas marchander ma libération ; je n'intéresse personne. Alors laissez-moi partir. Je suis sûre que le roi Easton prendra votre attitude en considération. J'interviendrai personnellement pour vous. Même si vous avez tué Paulo, vous bénéficierez de circonstances atténuantes ou de quelque chose du genre.

— Je n'ai tué personne, répondit-il froidement. Et princesse ou pas, je ne peux pas vous laisser partir.

Et sur un claquement de doigts, la magie qui les avait enveloppés, la passion qu'ils avaient échangée le temps d'un baiser, tout cela s'évanouit. Cade remit son masque et tira son pistolet de son holster pour le lui pointer entre les côtes. Il endossait de nouveau son rôle de ravisseur.

— Votre Altesse.

Ellie se résigna et renonça à essayer de convaincre l'homme de bien qui se cachait en Cade. Elle n'était pas pour autant décidée, cependant, à renoncer à sa curiosité féminine. Son compagnon lui avait fait toucher du doigt des émotions nouvelles, intrigantes, enivrantes. Elle voulait savoir s'il avait ressenti la même chose qu'elle.

Elle se mit en marche et, après avoir parcouru une centaine de mètres parmi les arbres, demanda :

— Pourquoi m'avez-vous embrassée, Cade ?

— Parce que j'en avais envie, c'est tout.

Sa voix, monocorde et dénuée de passion, lui fit l'effet d'une douche froide.

— Et c'est pour la même raison que je vous ramène, ajouta-t-il.

— Les esprits commencent à s'échauffer, ici.

Le combiné collé à l'oreille, Easton arpentait son bureau. Il parlait à voix basse, car même si la ligne était sécurisée, son équipe et ses conseillers attendaient de l'autre côté de la porte.

— Est-ce que vous avez réussi à déterminer qui se cache derrière tout ça ?

— J'ai une piste ou deux, mais je n'ai pas pu les suivre jusqu'au bout. Et il y a eu un incident. Smython s'est tordu la cheville et s'est fait une entorse.

Un incident. Easton supposait qu'il s'agissait d'un euphémisme. Mais son homme n'était pas du genre à laisser une situation lui échapper.

— Quand pensez-vous apprendre quelque chose de concret ?

— Bientôt.

— Nous manquons de temps.

— Je sais.

Easton se massa les tempes, regrettant qu'Ellie ne soit pas là pour lui apporter une aspirine. Regrettant qu'elle ne soit pas là tout court.

— Vous veillez sur elle ?

Le court silence, au bout du fil, l'inquiéta.

— Je la ramènerai saine et sauve. Le moment venu.

Easton abattit son poing sur son bureau, en un geste de frustration dont il n'était pas coutumier.

— Bon sang, je veux savoir qui menace mes proches !

— J'y travaille.

Le souverain prit une profonde inspiration, puis répondit d'un ton plus calme :

— Nous aussi.

Un coup discret fut frappé à la porte, et Harrison Montcalm passa la tête par l'entrebâillement.

— Votre Majesté. Vous avez de la visite.

Easton acquiesça et déclara dans le combiné :

— J'attends votre appel.

— Entendu.

Puis il raccrocha et alla s'asseoir dans son profond fauteuil de cuir. Au même moment, son petit-fils, le prince Markus, pénétra dans la pièce.

— J'interromps quelque chose ? demanda-t-il de sa voix suave.

— Markus, fit Easton avec un sourire contraint. Quelle surprise.

Le roi attendit que le prince s'approche de lui, comme le voulait le protocole, mais Markus hésita au milieu de la pièce, comme s'il avait espéré que son grand-père viendrait à sa rencontre. Easton en profita pour l'observer et, une nouvelle fois, nota avec mépris la brioche qui arrondissait son ventre, son double menton, les poches sous ses yeux, ses joues un peu flasques. Un effet de sa consommation débridée d'alcool, sans doute.

Markus s'approcha enfin et l'embrassa avec moult effusions sur les deux joues. Trop de manières et pas assez de substance, songea Easton. C'était exactement la raison pour laquelle il n'avait pas voulu de Markus pour lui succéder.

— J'ai des affaires urgentes à régler, déclara-t-il, peu désireux de perdre du temps avec son petit-fils. Le moment est mal choisi pour une visite de courtoisie.

— Grand-père, tu me blesses, répondit Markus en plaçant une main sur son cœur. Je viens juste d'apprendre, pour Lucia.

La nouvelle de l'enlèvement avait été gardée secrète, mais Easton ne trahit rien de sa surprise.

— Qu'as-tu appris au sujet de Lucia ?

— Qu'elle avait refusé de te succéder. Qu'elle avait préféré épouser ce vieux soldat plutôt que de devenir reine.

Un raclement de gorge attira leur attention vers le « vieux soldat » en question, un homme athlétique de quarante-cinq ans, qui venait de pénétrer dans la pièce. Easton se réjouit silencieusement du regard meurtrier que Harrison lança à Markus.

— Remy Sandoval vient d'arriver, Majesté. Il est en bas.

— Merci.

Harrison acquiesça, darda un nouveau regard noir sur Markus et disparut.

Le prince déboutonna son gilet et, négligeant le protocole, prit place dans un fauteuil en face du bureau.

— Voilà qui était plutôt embarrassant, dit-il en riant.

Le roi se leva et vint se placer derrière lui, se demandant comment Byrum avait pu donner naissance à un fils tel que lui.

— Que viens-tu faire ici, Markus ?

— Je n'ai pas le droit de rendre visite à mon grand-père ?

— Je suis très occupé. J'ai un pays à diriger.

Markus pivota dans son siège pour lui faire face. Sous son vernis charmeur, son sourire avait quelque chose de sinistre.

Et Easton avait beau chercher, il ne trouvait pas trace d'humanité, ou de conscience morale, dans ses yeux bleus.

— Moi aussi, je pense à mon pays. As-tu fini de faire le tour de nos cousines américaines ? En attendant, le Korosol est à l'abandon.

Easton ne pouvait laisser passer une telle accusation.

— Nul n'aime le Korosol plus que moi !

Markus se leva brusquement, rouge d'émotion.

— Dans ce cas, nomme ton successeur ! Le trône me revient de droit !

S'il avait tapé du pied, sa démonstration de colère puérile aurait été parfaite. Las, Easton prit appui sur le dossier d'un fauteuil. Il ne savait si sa soudaine fatigue était due à l'âge ou à la déception. Markus était-il capable de faire davantage que geindre et pleurer pour obtenir ce qu'il voulait ? C'était malheureusement fort possible.

Cela renforça sa détermination de protéger son pays coûte que coûte. Il redressa la tête, de nouveau en pleine possession de ses moyens.

— Ne t'avise plus jamais d'élever la voix en ma présence. Je nommerai mon héritier quand je serai prêt. Maintenant, si tu veux bien m'excuser, j'ai du travail.

Il alla jusqu'à la porte et l'ouvrit lui-même. Harrison et Sandoval l'attendaient dehors. Markus prit tout son temps pour boutonner sa veste et le rejoindre enfin.

— Grand-père, dit-il avec un bref hochement de tête.

— Bonne journée, Markus.

Son petit-fils passa devant les deux hommes qui attendaient dehors comme s'ils n'existaient pas et disparut dans l'escalier. D'un sourire, Easton fit signe au leader du FDK d'entrer.

Remy Sandoval était un homme grand et émacié, à la calvitie naissante. Il était visiblement mal à l'aise en costume-cravate, et il balaya la pièce d'un regard prudent. L'ancien rebelle, et nouvellement élu au Parlement du Korosol, paraissait aussi anxieux d'en venir au but que le roi lui-même.

— Je ne suis pas très habitué à être réveillé au milieu de la nuit et à devoir traverser l'Atlantique pour un rendez-vous, déclara-t-il en prenant place dans le siège que Markus venait de quitter. De quoi s'agit-il, au juste ?

Easton avait soigneusement réfléchi à cette rencontre. Même si ses vues politiques différaient de celles de Sandoval, il respectait l'honnêteté un peu brutale de ce dernier. Il avait donc décidé de jouer la carte de la franchise.

Il prit une boîte à bijoux longue et plate sur son bureau, la déposa devant Sandoval et en fit glisser le couvercle.

— Joli, commenta son invité après avoir jeté un bref coup d'œil au contenu.

— Des diamants et des rubis. Et sur ce collier, là, vous pouvez voir le blason du Korosol.

— Vous m'avez amené ici pour me montrer les bijoux de la couronne ?

— Non. C'est ma petite-fille Lucia qui a créé ces pièces. C'est une vraie artiste. Elle les portait quand elle a été kidnappée, il y a deux jours.

Le visage de Sandoval exprima une stupeur sincère.

— Mon Dieu, je suis désolé. Je l'ignorais.

— Ses ravisseurs exigent cinq millions de dollars et mon abdication avant la fin de l'année. Puisque vous représentez les anti-monarchistes… je suppose que vous comprenez la raison pour laquelle je vous ai fait venir.

Remy prit une profonde inspiration et porta la main à son col.

— Je peux ?

Le roi acquiesça. Son visiteur desserra son nœud de cravate et défit le premier bouton de sa chemise avec un soulagement visible.

— Vous me demandez donc de confirmer ou de nier l'implication de mes partisans dans cette histoire ?

— Je vous demande d'être très honnête. Je crois que je l'ai été également en signant un accord avec le FDK.

— C'est la première fois que j'entends parler de ce kidnapping. C'est la vérité, je vous le jure. Mais je vais me renseigner. Certains extrémistes ont pu échapper à mon contrôle.

C'était tout ce que Easton avait besoin de savoir. Il tendit la main à son vis-à-vis, par-dessus son bureau.

— Merci.

— C'est normal. J'ai beau être un ancien soldat avant d'être un homme politique, j'ai vu que vous mettiez de la bonne volonté dans nos négociations. Je ne veux pas mettre nos progrès en péril. Si un ou plusieurs membres du FDK sont impliqués dans cette histoire, je le saurai.

Easton hocha la tête et lui décocha un regard qui oscillait entre le remerciement et l'avertissement.

— Si ce sont des gens du Korosol, dites-leur que je veux récupérer la princesse en bonne santé et sur-le-champ. Ou tous les progrès que nous avons faits ensemble seront réduits à néant.

Remy Sandoval acquiesça, avant de s'incliner et de se retirer. Harrison referma la porte derrière lui et se tourna vers Easton.

— Vous croyez qu'il dit la vérité ? Que son parti n'a rien à voir là-dedans ?

— D'une certaine façon, j'espère qu'il ment.

— Pardon ?

— Rassurez-vous, je ne suis pas devenu fou. Mais peu de gens auraient intérêt à mon abdication. Et si ce ne sont pas des membres du Front, alors c'est quelqu'un qui veut le trône pour lui.

— Markus ?

— Il y a quelque chose de louche chez lui. Mais je n'ai aucune preuve qu'il trempe dans cette affaire. Et sans preuve, j'ai les mains liées. Pour l'instant, j'ai besoin de renseignements.

Harrison le prit par le coude et le conduisit vers la suite qui se trouvait de l'autre côté du couloir.

— Vous avez surtout besoin de vous reposer, maintenant.

— Non. Je ne trouverai pas de repos tant que je n'aurai pas ces renseignements.

6.

Cade était allongé à plat ventre dans l'herbe. Ses cheveux noirs et ses jumelles infrarouges seules en dépassaient. Nul ne pouvait le voir depuis la cabane en contrebas.

Les nuages défilaient rapidement, au-dessus de sa tête, créant des ombres pommelées sous la pleine lune. Cade se tenait à la lisière des arbres, mais il savait qu'il serait à découvert sitôt qu'il descendrait la pente rocailleuse menant à la crique et à la cabane. Une nouvelle fois, il étudia l'endroit à travers ses jumelles, dans l'étrange atmosphère que produisait leur amplificateur de lumière. Il n'y avait aucun véhicule en vue, mais le bateau était toujours amarré au ponton, et la remorque qui avait servi à l'amener reposait non loin de là dans un carré d'herbe.

Cade remit ses jumelles dans son sac à dos et rabaissa son masque. Il s'accordait vingt minutes pour cette visite de voisinage. S'il ne trouvait pas de quoi satisfaire sa curiosité passé ce délai, il rentrerait. Jerome ne manquerait pas de se plaindre d'une absence prolongée, surtout depuis que sa cheville blessée le clouait sur le canapé.

Silencieusement, Cade glissa le long de la pente. Puis il courut, plié en deux, jusqu'au ponton. Quelque chose le troublait depuis qu'il avait entendu la voix de Tony Costa. Il n'aurait su dire pourquoi, mais son instinct lui disait qu'une fois qu'il y serait parvenu, il n'aimerait pas ce qu'il découvrirait.

De plus, Winston Rademacher avait soi-disant choisi cet endroit du nord-ouest du Connecticut pour son isolement. Les rares cabanes et motels le long de la route avaient en effet été abandonnés depuis l'ouverture d'un complexe touristique de luxe non loin de là.

Et Rademacher était loin d'être idiot. Il n'aurait pas laissé passer un détail pareil. Tony Costa avait-il un rapport avec le plan B mentionné par leur employeur ?

Cade avait assez d'expérience pour savoir qu'il se tramait quelque chose. Cette coïncidence n'en était pas une.

D'une démarche légère, sans faire un bruit, il se glissa jusqu'au bateau. Le clapotis de l'eau suffisait à couvrir les rares craquements du ponton, et il descendit sans encombre dans l'embarcation.

En sus de ses problèmes avec Tony Costa, il en avait un autre avec Ellie Standish, et n'était pas fâché de pouvoir se retrouver seul pour y réfléchir. Car elle avait une façon de le regarder qui le faisait regretter de ne pas être davantage que le fils de Bretford St. John. De ne pas pouvoir lui offrir ce qu'elle désirait.

Elle semblait en effet s'être mis en tête qu'il était l'homme qui pourrait lui apprendre l'amour, à elle qu'aucun homme n'avait sans doute jamais touchée. Et certes, il aurait pu lui en apprendre un rayon en la matière.

Mais il ne pouvait lui offrir ce qu'elle désirait vraiment. Ce qu'elle *méritait*. Un engagement sincère, profond, à long terme…

Quelles que fussent les raisons de cette attirance, il ne pouvait pas se laisser distraire de sa tâche. Il avait un travail à accomplir avant que ses employeurs s'aperçoivent de leur erreur, et se rendent comptent qu'ils ne tenaient pas Lucia.

Et si lui aussi voulait survivre à cette mission, il ferait bien d'oublier le regard d'Ellie, la douceur de sa peau, la perfection de ses courbes…

Cade St. John n'échouait jamais. Et il n'allait pas laisser un mystérieux pêcheur ou une troublante secrétaire le distraire de son but !

Il inspecta le bateau de la poupe à la proue, mais ne trouva rien de suspect. L'embarcation avait sans doute été louée. Le moteur de quarante chevaux avait connu des jours meilleurs, mais tout paraissait en état de marche. Un kit de premiers soins et un pistolet d'alarme étaient rangés dans le fond du bateau. A côté, une boîte en métal contenait des vers en caoutchouc.

Intéressant. Soit Tony Costa avait une technique de pêche à la truite révolutionnaire, soit il n'y connaissait rien en la matière…

Cade remit tout en place et leva les yeux vers le ciel. Un orage couvait. Des décharges d'électricité statique trouaient la nuit vers l'ouest, comme en écho à la tempête qui faisait rage en lui. Quel pêcheur digne de ce nom laissait son matériel exposé aux intempéries ?

Son inquiétude augmenta d'un cran. En moins de deux minutes, il trouva un moyen d'entrer dans la maison et se glissa à l'intérieur. La cabane était en meilleur état que la leur, même si la couleur vert avocat de la peinture laissait supposer qu'elle n'avait pas beaucoup changé depuis les années soixante-dix. Le réfrigérateur était bien fourni, la salle de bain tachée d'humidité mais soigneusement rangée. Des draps propres recouvraient le lit.

Rien ne trahissait l'identité du maître des lieux. Ni numéro de téléphone en évidence, ni photographie, ni document officiel. Rien de rien.

Peut-être s'agissait-il effectivement d'une célébrité qui essayait d'échapper aux projecteurs. Mais Cade n'était pas homme à lâcher prise aisément. Poings sur les hanches, il balaya la cabane du regard.

Les premières gouttes de pluie venaient de s'écraser sur le toit de tôle quand il trouva enfin ce qu'il cherchait. Ou du moins, un indice suffisant pour mettre tous ses sens en alerte. Un éclat argenté avait attiré son regard, dans une boîte à mouchoirs posée sur une table basse. Cade l'ouvrit et prit l'un des objets qui se trouvait à l'intérieur. Il le fit rouler entre ses doigts, pensif. C'était une balle de 7,5 mm. Un calibre très puissant, parfait pour un fusil FR-F2. Une arme de tireur d'élite. L'armée du Korosol en employait.

Cade referma le poing sur la balle.

— Ça me semble plutôt inapproprié pour tirer sur des poissons, murmura-t-il.

Sa voix fut couverte par le staccato de la pluie au-dessus de sa tête. Quel genre de proie leur voisin avait-il vraiment en ligne de mire ? Ce genre d'arme était en général utilisé pour les assassinats.

Comme celui du maire de Montavi, deux ans plus tôt. Le vieux leader monarchiste du sud-ouest, fidèle au roi, avait été tué par une balle identique. Cade se rappelait être remonté jusqu'au FDK. Cela avait été leur dernier acte terroriste avant la signature d'un traité avec le roi. Le FDK avait livré le tireur en geste de bonne foi.

Ou n'avaient-ils livré qu'un martyr ? Un volontaire qui s'était sacrifié pour protéger le vrai meurtrier ?

Qui diable était Tony Costa ?

« Elle va bien ? » De nouveau, Cade repassa la voix de l'homme dans sa tête. Il connaissait cette façon d'achopper sur les mots. Mais le nom, Tony Costa, ne collait pas.

Cade ferma les yeux et tendit l'oreille, écoutant les échos intérieurs de ses nombreuses missions.

« Sortez-moi de là ! Maintenant ! »

Son estomac se noua. Une voix à la radio. Une mission de récupération de routine en Amérique Centrale. Cinq hommes parachutés qui n'avaient trouvé personne au point de rendez-vous. Rien d'autre que des douilles qui laissaient supposer que leur homme s'était tiré d'embarras tout seul, les abandonnant en territoire ennemi. Mais Cade avait sorti ses hommes de là…

Son instinct formulait à présent un nom très distinctement.

Sonny.

Aussitôt, il bondit vers la porte, fonça à travers bois. Il devait regagner la maison avant que le tireur d'élite, le mercenaire répondant au nom de code de Sonny, ne trouve Ellie. Ou plutôt, la princesse Lucia. Car quelle autre cible de valeur pouvaient bien abriter les bois du Connecticut ?

Il courut dans la nuit, la pluie ruisselant le long de son visage, luttant contre le sentiment d'une menace imminente. L'homme aux cheveux blancs, il n'en doutait plus à présent, était le plan B de Winston Rademacher.

Et il espérait qu'Ellie Standish n'aurait pas à payer le prix de leur erreur.

Le crépitement lancinant de la pluie avait étouffé le bruit du verrou. Mais en voyant un carré de lumière se découper en haut des escaliers, Ellie sut qu'elle avait de la compagnie. Elle s'éloigna en hâte de la vieille chaudière, de laquelle elle s'efforçait d'arracher la plaque nominative, et se glissa dans son duvet.

Son visiteur s'arrêta en haut de l'escalier, trop loin pour qu'elle puisse l'identifier. Elle ne bougea pas, redoutant de faire cliqueter sa chaîne et d'attirer son attention. Un frisson lui courut le long du dos. Pourquoi l'observait-il ?

— Qui est-là ? demanda-t-elle enfin, n'y tenant plus.

L'odeur de son visiteur atteignit ses narines presque au même instant. Une odeur âcre de tabac froid.

— Salut, ma jolie.

Jerome descendit l'escalier d'un pas lourd et irrégulier. Ellie se redressa brusquement, paniquée, et se plaça derrière le tabouret. Son ravisseur arriva enfin en bas de l'escalier, et elle vit qu'il s'aidait d'un bâton pour marcher.

— Qu'est-ce que vous me voulez ? lança-t-elle d'un ton glacial.

La canne de Jerome produisit un cliquetis sinistre sur le sol de ciment.

— Tu as vu ce que tu m'as fait, ma belle ?

La jeune femme baissa les yeux. Son pantalon avait été déchiré jusqu'au genou et révélait une cheville enflée, à la teinte violacée. Une féroce satisfaction s'empara d'elle à l'idée que sa tentative de fuite, après tout, n'avait pas été vaine. C'était une petite vengeance pour ce que ces hommes lui avaient fait subir.

Mais cela lui avait valu un ennemi dangereux…

Ellie fit remonter ses lunettes sur son nez et songea qu'aborder Jerome de front n'était peut-être pas la meilleure des stratégies. Elle baissa donc la tête et redevint elle-même, la timide Eleanor Standish. Jerome souffrait visiblement, et elle avait toujours été douée pour aider les autres. Autant profiter de ce talent naturel pour l'amadouer.

— Vous auriez dû garder votre botte, fit-elle valoir. Ça aurait comprimé la cheville et évité le gonflement. Maintenant, je vous conseille de la garder surélevée. Vous avez de la glace à l'étage ? Je pourrais vous en faire un sac et…

— Je n'ai pas besoin d'un foutu sac de glace.

Il boitilla vers elle, et Ellie recula. Jerome s'en aperçut et partit d'un rire menaçant, gras, inquiétant.

— Mais je vois d'autres moyens de vous faire pardonner, ricana-t-il.

Il fit un nouveau pas vers elle. Puis un autre. Ellie recula encore. Sans cette maudite chaîne, elle aurait pu lui échapper…

Son regard se posa sur la chaudière. Elle avait réussi à tordre la plaque jusqu'aux deux premières lettres de la marque. Elle était assez pointue pour se changer en arme, si du moins elle pouvait attirer Jerome assez près et le pousser dessus.

— Vous êtes ivre !

— Ça atténue la douleur.

Elle avait à présent atteint le bout de sa chaîne. Jerome tendit la main vers elle, mais elle lui échappa et se rapprocha de la chaudière. Un gloussement échappa à son ravisseur, comme s'il appréciait sa résistance. Abandonnant son bâton contre le mur, il avança vers elle.

Mais au lieu d'aller jusqu'à la chaudière, il s'arrêta soudain, saisit sa chaîne et la tira d'un coup sec. Ellie fut projetée en avant, droit dans ses bras. Elle piqua du nez dans un pull-over rêche qui puait la cigarette et paniqua. Sa main vola et percuta de plein fouet le visage de son agresseur. Elle l'avait giflé si fort que sa paume en resta insensibilisée pendant quelques secondes.

— Si vous me touchez, je hurle !

La joue de Jerome avait pâli, puis s'empourpra. Une expression meurtrière s'était peinte sur ses traits.

96

Elle voulut se dégager, mais il la gifla à son tour, l'envoyant au tapis. Ellie gémit tandis que la douleur se répercutait dans son crâne. Ses lunettes avaient volé dans la pièce.

Puis il fut sur elle, l'écrasant de tout son poids.

— C'est parfait, tigresse, j'aime les femmes qui me donnent du fil à retordre. C'est beaucoup plus amusant.

Ses gros doigts s'attaquèrent aux boutons de sa chemise. Il sentait la cigarette et la bière, et Ellie eut un hoquet de dégoût.

— Je ne l'ai jamais fait avec une princesse.

Ellie supposa confusément que révéler son identité ne lui servirait à rien, au point où elle en était. Une soudaine fureur l'envahit à l'idée que sa première expérience allait lui être volée par cette brute.

— Et ça ne vous arrivera pas ce soir !

La main de Jerome allait glisser dans son pantalon lorsqu'elle déchaîna sur lui une pluie de coups. De poings, de pieds, jusqu'à heurter soudain sa cheville enflée…

Jerome beugla de douleur et lâcha une série d'horribles jurons. Il roula sur le côté pour protéger sa cheville, et Ellie en profita pour se redresser. Puis, comme son agresseur se roulait par terre de douleur, elle agrippa le bâton qui lui servait de canne et le brandit au-dessus de sa tête…

Cade quitta Lenny et s'apprêtait à sortir pour vérifier que Tony Costa n'était pas dans les environs lorsqu'il entendit Ellie crier. Il avait été tellement préoccupé par cette menace extérieure qu'il en avait oublié la menace intérieure, non moins dangereuse.

— Ell…, commença-t-il avant de se rattraper, juste à temps. *Lucia !*

Il dévala l'escalier de la cave et vit Ellie qui abattait sur Jerome ce qui semblait être une batte de base-ball. Ses cheveux étaient en bataille, les premiers boutons de sa chemise, défaits.

Il comprit en un éclair ce qui s'était passé. Un besoin farouche de la protéger éclata en lui, et il se précipita sur Jerome.

Ellie l'empêcha fort heureusement de commettre une erreur qui aurait pu s'avérer fatale à sa mission. Car en l'entendant approcher, elle pivota et lui porta dans le même mouvement un coup de ce qu'il avait pris pour une batte, et reconnut comme étant la canne de Jerome. Des années d'entraînement lui permirent de bloquer aisément le bras de la jeune femme et, par une légère torsion, de la désarmer. Elle se débattit d'abord farouchement puis, lorsque l'adrénaline retomba, s'affaissa dans ses bras, hors d'haleine.

— Espèce de garce !

Jerome s'était relevé. Un couteau à la main, il s'avançait vers Ellie. Sans réfléchir, Cade pivota sur le côté et lui envoya son pied en plein ventre. Jerome tomba à genoux et lâcha son arme.

Lorsqu'il redressa enfin la tête, Cade le fixa d'un regard haineux.

— Avise-toi encore une fois de la toucher et je te tue.

Jerome se redressa difficilement, un rictus de douleur aux lèvres, puis regagna pesamment le rez-de-chaussée. Lorsque son acolyte eut disparu, il se tourna enfin vers Ellie.

— Je suis désolé.

Il la fit pivoter, lui ôta sa chemise déchirée et maculée et la jeta au sol. Elle portait un soutien-gorge sans bretelles, ce qui provoqua une nouvelle bouffée de désir en lui. Mais les tremblements qui la parcouraient encore lui disaient que le moment était mal choisi.

En hâte, il ôta sa propre chemise et l'aida à l'enfiler. Les manches dépassaient de ses mains et il les roula, frémissant au contact de ses doigts fins, si délicats…

— Désolé, elle est un peu humide. Je vais aller vous chercher quelque chose d'autre.

Elle ne répondit pas.

— Ellie ?

C'était la première fois qu'il la voyait ainsi, et il ne savait pas comment réagir. Il était habitué à ce qu'elle l'insulte, à ce qu'elle le frappe, à ce qu'elle le fasse se sentir méprisable et tout petit, mais pas à cela.

— Je suis navré. C'est ma faute. J'aurais dû être là pour vous protéger.

Il songea à Jerome. Il songea à Tony Costa. Il songea à leur mystérieux employeur, qui était prêt à sacrifier une innocente. Lui-même n'était certainement pas un ange, mais il valait mieux que tous ces types. Mieux que son père. Mieux que la réputation qui lui collait à la peau. Il voulait lire du respect dans les yeux des autres.

Surtout dans ceux d'Ellie.

— Je ne laisserai plus personne vous faire du mal.

Sa promesse résonna entre les murs de ciment de la cave, et dans le grand vide qu'était son âme. Il savait qu'en la kidnappant, il l'avait déjà blessée, avait détruit une bonne partie de la confiance qu'elle aurait pu lui accorder.

Un soupir souleva les épaules d'Ellie et elle redressa lentement la tête. Puis elle pivota, dardant ses immenses yeux bleus sur lui. Une lueur de défi, de colère et de méfiance y brûlait. Déjà, elle n'était plus aussi pure. Déjà, il l'avait corrompue.

Alors elle lui asséna le coup final.

— Peut-être, mais qui me protégera de vous ?

*
* *

Cade n'entendait presque pas le martèlement de la pluie sur le toit au-dessus de sa tête tant les grondements du tonnerre étaient forts. C'était le genre de tempête qu'il adorait, enfant, parce que le bruit de la pluie couvrait les disputes de ses parents. Devenu soldat, il avait également apprécié de telles nuits, qui signifiaient que les combattants ennemis étaient eux aussi au fond de leur lit.

Avec un peu de chance, la tempête tiendrait également Tony Costa à distance.

Evidemment, la chance ne l'avait pas particulièrement aidé, ces derniers temps…

Il s'arrêta à l'entrée de l'escalier de la cave et écouta le staccato mélodique de l'averse, à peine perturbé par les cliquetis de la chaîne qui retenait Ellie.

Il avait appris, avec elle, à prévoir l'imprévisible. Au premier abord, elle semblait discrète, timide, presque anodine. A présent, il se demandait comment il avait pu ne pas la remarquer.

Sa joue, encore douloureuse, lui rappela qu'elle cachait un cœur de lion. Elle ne cessait jamais de penser, de planifier, d'évaluer, de recalculer. Et elle avait la langue particulièrement acérée.

« Peut-être, mais qui me protégera de vous ? »

Bon sang, il perdait complètement de vue ses objectifs dans cette histoire. Ellie, elle, avait gardé la tête froide et savait ce qu'elle avait à faire. Survivre. S'échapper.

Cade, lui, avait oublié l'essentiel. Il devait trouver qui les avait engagés. Et s'il n'y prenait garde, il ne sortirait peut-être pas indemne de cette aventure.

En tout cas physiquement. Car moralement, c'était trop tard. Il avait laissé leur prisonnière s'infiltrer dans son cœur.

100

Il savait qu'il n'aurait pas dû se soucier d'elle. Mais il ne supportait pas l'idée qu'elle ait peur de lui.

Une forme bougeait dans l'obscurité. Qu'était-elle en train de faire ?

Il descendit prudemment, le bruit de ses pas couvert par la tempête.

Il s'arrêta tout net quelques marches plus bas, stupéfait. C'était bien la dernière chose à laquelle il s'était attendue.

Ellie dansait. En tout cas, autant que la chaîne qu'elle avait calée sur son bras gauche le lui permettait.

Ses yeux étaient fermés, son visage levé vers un partenaire invisible. Elle était pieds nus et, malgré son pantalon de treillis et sa chemise trop grande, dansait avec une grâce impériale.

Soit Ellie était devenue folle, soit elle avait en elle des ressources encore insoupçonnées, une volonté que rien ni personne ne pouvait entamer.

Et peut-être était-il tout aussi fou qu'elle à se tenir là et à l'étudier avec le ravissement d'un adolescent pour la reine du bal de fin d'année. Il devait signaler sa présence avant qu'elle ne s'en aperçoive d'elle-même.

— Qu'est-ce que vous faites ? demanda-t-il d'une voix rauque.

Ellie s'interrompit brusquement et écarquilla tout grand les yeux. Ou bien il l'avait surprise, ou bien c'était une admirable actrice.

— Je ne vous avais pas entendu.

Son long entraînement permit à Cade de remarquer le regard fugace qu'elle jeta en direction de son sac de couchage.

— Il y a quelque chose là-dedans dont je devrais me méfier ? ironisa-t-il. Quelque chose de tranchant ?

— Non.

Pour le lui prouver, elle s'agenouilla et ouvrit le sac en grand. Puis elle leva vers lui un regard incertain, presque craintif. Cade détestait voir cette expression dans ses yeux, détestait plus encore l'idée d'en être responsable.

Il détourna donc la tête et lança le coussin qu'il avait pris sur le sofa contre le mur opposé. Malgré lui, son regard revint sur elle et se fixa sur ses fesses tandis qu'elle refermait son sac de couchage et le lissait. Bon sang, cette fille était faite pour l'amour. Et le pire, c'est qu'elle l'ignorait. Il aurait soupçonné n'importe quelle autre femme d'essayer de le distraire, avec cette façon de bouger, mais pas Ellie. Elle était complètement ignorante de l'effet qu'elle avait sur lui.

Il passa furieusement une main dans ses cheveux, puis entreprit de se masser la nuque pour se détendre.

— Le coussin, c'est pour quoi faire ? demanda-t-elle en s'asseyant enfin en tailleur sur son sac de couchage.

— Pour me servir d'oreiller. Nous allons être colocataires, et je me suis dit qu'un minimum de confort ne serait pas malvenu.

— Vous allez dormir dans la cave ? Vous avez peur que je brise ma chaîne pendant la nuit et que je m'échappe avant que vous n'ayez pu toucher le pactole ?

Cade fut quelque peu soulagé de voir qu'elle avait retrouvé son esprit acéré. Il ne put retenir un sourire.

— Après ce que j'ai vu, je m'attends à tout.

La jeune femme détourna la tête, mais il eut le temps de voir qu'elle avait souri elle aussi. Durant un instant, Cade se prit presque pour l'un des héros purs et nobles auxquels elle croyait si fort. Presque.

— Ce n'est pas du service trois étoiles, mais je me suis dit que vous aimeriez ça.

102

De sa poche, il tira des fruits et un paquet de bretzels qu'il posa sur le tabouret près d'elle. Ellie, cependant, ne fit pas le moindre mouvement dans leur direction.

— Où est Jerome ?

— En haut. Il dort. Et Lenny est en patrouille dehors.

Cade tira une barre chocolatée d'une autre poche et la lui tendit en signe de bonne volonté, comprenant qu'elle répugne à baisser sa garde.

Lorsqu'elle saisit la barre, il ne la lâcha pas aussitôt, la forçant à lever les yeux vers lui et à y lire le message qu'il voulait lui faire passer. Que malgré tout ce qui était arrivé, il la protégerait.

Mais elle ne comprit pas le message. Et lorsqu'une expression confuse apparut sur son beau visage, il lâcha la barre. C'était une bonne leçon. Il devait arrêter d'essayer de communiquer avec elle jusqu'à la fin de cette mission.

— Enfin quelque chose qui a du goût, soupira-t-elle après avoir pris une bouchée de chocolat, et fermé les yeux de plaisir. Merci.

Elle lui sourit, et Cade eut la distincte impression qu'un soleil venait de se lever juste pour lui dans la cave humide.

— Je vous en prie.

Il prit une poignée de bretzels et s'assit pour pique-niquer avec elle. Cette camaraderie qu'il éprouvait pour elle — entre autres sentiments qu'il préférait ne pas explorer — était parfaitement ridicule. Mais il était incroyablement rafraîchissant de rencontrer une femme aussi honnête, aussi pure, aussi peu dissimulatrice. Lorsqu'elle était contente, Ellie souriait. Lorsqu'elle était en colère, elle ne se privait pas davantage de le faire savoir.

Du chocolat maculait les lèvres de la jeune femme, et il sentit sa propre respiration s'accélérer en se remémorant leur baiser. Comme il aurait aimé pouvoir y goûter de nouveau…

— Pourquoi dansiez-vous, tout à l'heure ? demanda-t-il en une tentative pour revenir à la réalité.

Elle pâlit, puis s'empourpra.

— C'était juste une sorte de… rêve éveillé. C'est tout.

— Une façon d'échapper à tout ça ?

— C'est en fait la raison de ma présence ici.

Il attendit qu'elle lui explique ce qu'elle voulait dire par là, et elle haussa les épaules.

— Tout ce que je voulais, c'était jouer les princesses d'un soir. Et danser au bal. Un peu comme Cendrillon. Sauf qu'au lieu que mon carrosse se change en citrouille, j'ai fini ici. Jerome et Lenny sont mes méchantes belles-sœurs et vous…

Elle s'interrompit, entreprit de peler un fruit et reprit :

— Bref, comme je n'ai pas eu l'occasion de danser, je me rattrapais.

Cade prit un quartier d'orange, mais ne ressentit d'autre goût que celui de sa propre amertume.

— La vie n'est pas un conte de fées, n'est-ce pas ? murmura-t-il.

— Non. Il n'y a pas de « Ils vécurent heureux et ils eurent beaucoup d'enfants ». Tout simplement parce qu'à la même heure demain, je serai morte.

7.

— Oui, j'accepte le PCV.

Bon sang, il avait été si jeune, si innocent avant de recevoir ce coup de fil...

— Papa ? Qu'est-ce qui te prend d'appeler au milieu de la nuit ? Tout va bien ?

La voix de Bretford St. John était aussi douce et profonde que d'habitude lorsqu'il répondit :

— Je voulais prendre de tes nouvelles.

Cade hésita. Devait-il s'inquiéter ? Son père et lui s'étaient parlé deux jours auparavant à peine.

— Tout va bien. Nous révisons pour les examens de fin d'année. Et toi ?

— Je...

Son père s'interrompit si brusquement que Cade se redressa dans son siège, tous les sens en alerte.

— Je voulais m'excuser d'avoir dépensé l'argent de tes études.

L'affaire était ancienne, l'argent en question avait été perdu en quelques nuits de poker deux ans plus tôt. C'était la raison pour laquelle Cade étudiait dans une université d'Etat et non dans une école privée. Cet appel était décidément bien étrange.

— Papa, qu'est-ce qui se passe au juste ?

Cade s'agita dans son sommeil. Cela faisait longtemps qu'il n'avait pas fait ce rêve.

La maison était calme. Bien trop calme.

Cade déposa son sac à dos dans l'entrée et alluma la lumière. L'endroit, presque vidé de ses meubles, lui semblait froid et inhospitalier.

— Papa ?

C'était la première fois qu'il n'y avait personne pour l'accueillir à son arrivée. Où était la gouvernante ? Il savait que les autres domestiques avaient dû être renvoyés, au fil des années, mais Mme Breen aurait dû être là. Elle faisait presque partie de la famille.

— Papa ? Madame Breen ?

Il avait manqué les deux derniers examens et pris le train le lendemain du coup de fil de son père, redoutant que ce dernier n'ait une fois de plus cédé à ses démons du jeu. Le problème, cette fois, était qu'il n'y avait plus rien à vendre pour payer les dettes. Plus de meubles, plus de tableaux, plus de terres. La maison elle-même attendait ses nouveaux propriétaires.

— Papa ?

Une bouffée de peur l'envahit. Il devait trouver son père. Maintenant.

Il se mit à courir de pièce en pièce. Une sueur froide humectait sa peau, coulait dans son dos et sur sa lèvre supérieure.

— Papa ?

Il n'était pas dans la chambre. Ni dans la cuisine. Ni dans le salon. Ni dans la serre qu'il aimait tant. Toutes les pièces étaient vides. Nues. Glaciales.

— Papa !

Il s'arrêta devant la porte du bureau de son père. De cet endroit, Bretford St. John avait fait fortune dans l'immobi-

*lier. Il avait joué avec Cade sur les précieux tapis persans,
au grand chagrin de la gouvernante.*

Cade prit une inspiration et ouvrit la porte.

*Le tapis avait disparu depuis longtemps, saisi par les
huissiers. Les étagères étaient vides de livres. Restaient
un bureau et un fauteuil assorti.*

*Cade fixa le bureau avec un soulagement tel qu'il crut
un instant qu'il allait s'évanouir.*

Non. Il s'agita dans son sommeil. Quelque chose n'allait
pas. Il savait ce qui allait suivre et faisait de son mieux
pour le repousser.

*Son père dormait à son bureau. Cade entra dans la
pièce.*

— *Je suis trop jeune pour avoir une crise cardiaque,
papa ! Tu devrais vraiment...*

*Cade comprit brusquement qu'il ne serait plus jamais
un gamin insouciant.*

— *Papa ? Papa !*

*Il y avait du sang, du sang partout. Trop de sang. Il n'osait
même pas prendre la note posée sur le bureau.*

*Il tomba à genoux. C'en était trop pour un adolescent
de dix-neuf ans. Plus qu'il n'en pouvait supporter. Le choc
et l'horreur se le disputaient en lui. Le chagrin viendrait
plus tard. Des années plus tard. Pour l'instant, il avait
froid. Horriblement froid. Et rien ne pourrait plus jamais
le réchauffer.*

Cade se débattit farouchement pour échapper aux griffes
glaciales du rêve.

— Cade ?

La pluie avait cessé, des oiseaux chantaient quelque part.
Une voix l'appelait doucement. Ses démons essayaient de le
retenir, mais la voix l'attirait comme celle d'une sirène.

— Cade ? Réveillez-vous.

Il se dirigea vers la voix. Vers le salut. Quelqu'un était penché sur lui. Vif comme l'éclair, il agrippa la silhouette par les poignets, la renversa et pesa de tout son poids sur elle.

— Aïe !

— Quel tour vous apprêtiez-vous à me jouer, encore ?

Il lui ouvrit une main, puis l'autre. Rien. Il se figea, un froid glacial l'envahit de nouveau. Tout aussi brusquement, il relâcha Ellie.

— Mais qu'est-ce que vous faisiez ? demanda-t-il en lui massant énergiquement les poignets pour y faire revenir le sang.

— Vous gémissiez et vous aviez l'air d'avoir froid. J'ai voulu vous mettre une couverture.

— J'ai dormi dans des endroits et dans des conditions bien pires, répondit-il en passant de ses poignets à ses mains.

— Comme quoi, par exemple ?

— Vous n'avez pas besoin de le savoir.

— Quand vous étiez soldat ? C'est de ça dont vous rêviez ? Ça avait l'air affreux.

— Oui, marmonna-t-il.

C'était une excuse comme une autre, après tout. Il avait vu assez de champs de bataille pour donner des cauchemars à n'importe qui. Des bunkers, des déserts ou des jungles infestées de scorpions et d'araignées…

— Dormir dans une cave humide avec vous, c'est presque du grand luxe pour moi.

Cade avait espéré la faire rire, dissiper la tension qui régnait entre eux. Mais lorsqu'il leva les yeux vers Ellie, il vit qu'elle l'étudiait avec intensité. Avec compassion, presque. Comme s'il lui avait communiqué sa souffrance et qu'elle la partageait.

— Vous tremblez encore.

Elle avait parlé d'une voix douce qui lui alla droit au cœur, traversant son armure d'indifférence avec la force et la précision d'un laser. Cade fronça les sourcils et détourna le regard. Il ne voulait pas de sa tendresse, de sa générosité, de sa douceur.

— Bougez les doigts, ordonna-t-il, bourru.

— Vous ne m'avez pas fait mal, le rassura-t-elle, obéissant néanmoins.

— Bien sûr que si.

— Vous ne voulez pas parler de ce qui s'est passé ?

Déjà, il ne l'écoutait plus. Sa peau douce, parfumée, avait réveillé les sentiments qu'il avait tenté d'occulter. Sans réfléchir, il se pencha et lui embrassa le poignet, là où ses doigts avaient laissé des traces encore visibles. Il sentit le pouls de la jeune femme s'emballer sous ses lèvres et prolongea son baiser, fit courir sa langue sur sa peau.

— Cade…

La façon qu'elle avait de prononcer son nom signa sa perte.

— Ellie, murmura-t-il d'une voix rauque. Qu'êtes-vous en train de me faire ?

Il avait connu des femmes qui excitaient son désir. D'autres qui parvenaient à lui faire oublier ses démons l'espace de quelques heures, de quelques nuits tout au plus.

Mais Ellie était la première qui lui donnait envie de se souvenir. Envie d'affronter le passé.

— Votre instinct vous pousse à me protéger, pas à me faire du mal, expliqua-t-elle. Vous êtes un homme bon. Pourquoi lutter contre ça ?

— Voilà à quoi me pousse mon instinct !

Et il l'embrassa de nouveau, cette fois sur la bouche, avec une ferveur explosive. Elle lui répondit presque aussitôt, avec une passion égale à la sienne, et Cade perdit tout contrôle sur lui-même. Il l'attira contre lui, laissa courir ses mains le long de son corps. Elle renversa la tête en arrière, exhalant un soupir de plaisir.

Cade l'allongea alors sur son duvet, haletant. Son sang battait à ses tempes, un désir tel qu'il n'en avait pas connu depuis longtemps — non, tel qu'il n'en avait *jamais* connu — faisait battre son cœur à cent à l'heure. Et les yeux d'Ellie lui disaient qu'elle éprouvait exactement la même chose !

Il ne lui fallut pas longtemps pour déboutonner sa chemise et révéler ses seins enveloppés de dentelle noire. Des lèvres, il suivit la bordure de son soutien-gorge et vit la peau de sa poitrine et de sa gorge s'empourprer.

— Oh, Cade...

Elle respirait à présent presque convulsivement, son regard était une invitation à des plaisirs auxquels il préférait ne pas penser de peur d'y céder sur-le-champ.

Il avait envie d'elle. Une folle envie que rien, il le savait, n'étancherait jamais.

Il hésita, plongea de nouveau dans le bleu de ses iris, dans les eaux desquels il pouvait lire jusqu'à son âme. Il ne pouvait pas lui faire cela. Il était en train d'abuser de la situation, de son pouvoir sur Ellie, de l'innocence de sa prisonnière.

Il se concentra donc sur sa respiration, tentant d'en arrêter le galop. Inspirer, expirer. Inspirer, expirer. Malheureusement, cela lui donnait encore bien trop de temps pour penser à ce qu'il voulait faire avec Ellie. Allez, encore un petit baiser. Juste un seul. Ça ne pouvait pas faire de mal, n'est-ce pas ?

Mais il ne voulait pas qu'elle s'imagine, après coup, qu'il ne valait pas mieux que Jerome. Il voulait lui faire comprendre qu'il...

Quoi, au juste ? Il n'en savait rien. Et plutôt que de répondre à cette question, il préféra faire glisser sa main le long de sa hanche, puis sur ses fesses et…

Il se figea en sentant, au lieu de l'arrondi auquel il s'était attendu, quelque chose de pointu qui dépassait de sa poche arrière. Un carnet.

Une fois de plus, son innocente prisonnière s'était jouée de lui !

— Où avez-vous eu ça ?

Elle avait dû le lui subtiliser pendant qu'il dormait. Peut-être même avant, pendant qu'ils mangeaient. Et lui s'était laissé prendre au piège.

Elle essaya d'agripper le carnet, mais il fut plus rapide. La colère fit à Cade l'effet d'une douche froide et lui éclaircit brutalement les idées.

— Je me suis encore fait berner comme un gosse, on dirait.

Ellie se redressa brusquement, les bras serrés autour d'elle comme si elle avait froid. La passion qu'ils avaient partagée semblait s'être complètement évanouie.

— Je n'arrive pas à croire que je vous aie laissé m'embrasser, dit-elle d'un ton plein de morgue.

— Ça, pour m'avoir laissé, vous m'avez laissé !

— C'est vous qui m'avez embrassée le premier !

— Et c'est vous qui avez dit oui ! Bon sang, dire que j'ai cru à votre petit numéro…

— Ce n'était pas un numéro ! Je n'ai jamais laissé un homme faire ça !

Cade se dressa, et se repeigna avec ses doigts écartés.

— C'est bien ce que je me disais.

Elle écarquilla aussitôt les yeux, rougit, puis devint aussi pâle qu'une poupée de porcelaine.

— J'étais si mauvaise que ça ?

— Bien sûr que non ! Et c'est bien là le problème !

Il lui agita ensuite le carnet sous le nez et reprit avec force :

— Rappelez-vous où vous êtes, et qui je suis, et ce qui risque d'arriver si vous continuez à refuser de coopérer.

Au lieu de se soumettre et d'avoir peur, elle lui darda un regard de défi.

— Je ne savais pas que c'était un crime de voler quelque chose à un voleur. Est-ce que Lenny sait que vous lui avez pris son carnet ?

— Vous ne comprenez donc pas ? Si vous ne m'aidez pas, je ne pourrai pas vous aider non plus ! Plus de toilettes extérieures ! Plus de chocolat !

— Il n'y a qu'une chose qui m'intéresse.

La liberté. Elle n'avait pas eu besoin de prononcer le mot.

Cade soupira. Une nouvelle fois, elle avait raison. Bien malgré lui, il la comprenait.

Et cela ne faisait qu'ajouter à sa culpabilité. Mais après tout, c'était un sentiment avec lequel il avait appris à vivre depuis longtemps.

— Montrer le collier s'est avéré très efficace. Easton a accepté de payer la rançon. Je l'appellerai pour organiser l'échange ce soir.

Winston Rademacher se pencha vers le rétroviseur extérieur de son 4x4 et rajusta sa cravate de soie italienne avant d'ajouter :

— L'échange aura lieu dans une ville voisine. Peut-être Goshen ou Milton.

112

Cade jeta une autre bûche sur le feu où il faisait chauffer de l'eau, devant la maison, pour prendre un bain et se raser. Et surtout, ôter le parfum d'Ellie de sa peau.

— Je pensais que nous devions retourner à New York faire l'échange ?

— Personne ne vous demande de penser, Votre Grâce.

Parce qu'il avait besoin de découvrir qui était derrière tout cela, Cade laissa l'ironie glisser sur lui.

— Vous avez été embauché pour vos muscles. Le cerveau, c'est moi. Et si vous ne suivez pas les ordres, il faudra sortir de votre poche l'argent que votre père me devait.

Jerome ricana, sans réaliser que lui aussi n'avait été engagé que pour ses muscles.

— On dirait qu'il te tient, Sinjun.

Cade préféra ne rien dire et attendit patiemment.

— Nous savons tous que votre malheureuse solde ne vous permettra pas de me rembourser, n'est-ce pas ? enchaîna Rademacher. Et puis, vos talents spéciaux valent bien davantage que votre titre ou que votre salaire. Un homme intelligent essaie de tirer profit de ce qu'il sait faire le mieux. Evidemment, votre père n'a jamais compris ça.

— Profitez de votre position tant que vous le pouvez, Rademacher. Parce que si vous essayez de nous faire un coup en douce, je me ferai un plaisir d'utiliser mes talents spéciaux sur vous.

— Pour une fois, je suis d'accord avec Gueule d'Ange, renchérit Jerome. Cette princesse ne nous a causé que des ennuis. Alors je dis : on la zigouille et on quitte le pays.

Rademacher plissa le nez, mais Cade n'aurait su dire si c'étaient les idées de Jerome ou sa cigarette qui l'incommodaient le plus.

— « Zigouiller » les gens semble être votre façon de réagir au moindre problème, monsieur Smython. J'espère que la princesse Lucia n'a pas eu à souffrir de votre impulsivité dans un autre domaine ?

Jerome coula un regard haineux vers Cade. Il n'avait toujours pas digéré la façon dont ce dernier protégeait leur prisonnière. Cade croisa les bras et soutint son regard.

Smython baissa les yeux le premier. Il se rappelait sans doute encore la correction qu'il avait reçue la veille.

— Ça ne risque pas, vu qu'elle a un garde du corps à plein temps, maintenant, railla-t-il.

— Je vois.

Rademacher tourna un visage curieux vers Cade et demanda :

— Alors ? Vous avez maintenant un intérêt personnel dans cette mission ? C'est pour ça que vous posez tant de questions ? Désolé, Sinjun, mais une princesse n'a que faire d'un type tel que vous. Vous n'avez ni argent, ni honneur ; tout ce que vous possédez, c'est un titre dénué de valeur. N'allez pas vous faire des idées.

Cade ne se faisait aucune illusion. Il savait bien qu'il n'était pas digne d'Ellie, même si elle n'était pas princesse.

Repoussant ces idées noires, il revint à ce qui le préoccupait.

— Je croyais que le but était de rendre Lucia en un seul morceau. Et je n'étais pas en mesure de le garantir sans la protéger de Roméo, ici présent.

Rademacher soupira, comme si toute cette conversation l'ennuyait au plus haut point. Il se tourna vers Lenny qui, adossé à un arbre, assistait distraitement à l'échange.

— Monsieur Gratfield, vous partagez l'idée d'abandonner ce projet ?

Lenny se caressa pensivement le menton avant de répondre :

— Les choses ne se sont pas déroulées en douceur comme je l'espérais. La fille nous a échappé hier matin.

— Echappé ?

— Sinjun l'a rattrapée. Vous saviez que nous avions un voisin à environ un mile et demi d'ici ?

Winston plissa presque imperceptiblement les yeux.

— Qu'est-ce que vous racontez ?

— Elle est allée le trouver. Un vieux pêcheur.

— Elle lui a parlé ?

— Non, intervint Cade. Je l'ai rattrapée à temps.

La moue pensive, Winston réajusta un bouton de manchette. Etait-ce un signe de nervosité ?

— Le pêcheur l'a reconnue ?

— Pourquoi ne nous le dites-vous pas ? contre-attaqua Cade.

— Pardon ?

— Le pêcheur a prétendu s'appeler Tony Costa. Mais nous le connaissons mieux sous son nom de code. Sonny. Il a été tireur d'élite dans l'armée du Korosol.

— Vous plaisantez ? Il vit près d'ici ?

— Je ne crois pas à la coïncidence, intervint Lenny.

Winston se mit à jouer avec son autre bouton de manchette. Une ride plissait son front.

— Je vais vérifier. Je ne pense pas qu'Easton soit sur nos traces. Il interroge encore des suspects potentiels.

— L'un d'entre eux est votre client ? demanda Cade.

Au lieu de répondre instinctivement, comme il l'avait espéré, Winston Rademacher prit du temps pour réfléchir. Son expression ne trahissait rien d'autre qu'un léger ennui. A une table de poker, nul doute qu'il devait être redoutable. Bretford St. John en avait d'ailleurs fait les frais.

— Votre fascination envers un employeur qui préfère rester anonyme frôle l'insubordination, déclara-t-il enfin.

Winston lissa les pans de sa veste, puis glissa une main dans le revers droit. Instinctivement, Cade agrippa la crosse de son pistolet.

— Que fait-on aux soldats qui désobéissent ? demanda Rademacher.

— On les fait passer en cour martiale ou on les rétrograde.

Winston ressortit sa main de son veston et passa sa langue sur ses lèvres, comme s'il savourait cette idée.

— Intéressant.

— Vous voulez me renvoyer de l'équipe, peut-être ? le défia Cade.

— Au contraire, Sinjun. Je veux pouvoir garder un œil sur vous.

Puis Rademacher monta dans son 4x4, démarra et baissa sa vitre pour donner ses derniers ordres.

— Tenez la princesse prête et présentable pour ce soir 9 heures. Et profitez-en pour vous rendre présentables, vous aussi.

Sur ce, il s'éloigna, prenant bien soin d'éviter les flaques de boue que l'orage avait laissées. Sitôt que le 4x4 eut disparu, Cade fit un signe de tête à Lenny.

Aussitôt, le géant prit un sac, un fusil et disparut dans la forêt.

— Où tu vas ? cria Jerome.

Mais Lenny disparut sans un mot. Cade s'agenouilla pour tisonner le feu et expliqua :

— Je ne sais pas ce que tu en penses, mais Lenny et moi n'aimons pas beaucoup l'idée qu'un tireur d'élite se promène dans les environs. J'ai envoyé Lenny garder un œil sur lui.

— Qui donne les ordres, ici ?

— C'est moi, déclara Cade, se redressant si vivement que Jerome sursauta. A moins que tu ne veuilles affronter Sonny tout seul ? Va préparer nos affaires et la voiture, maintenant. J'ai besoin qu'elle démarre sans problème, ce soir.

Jerome parut soupeser ses chances au combat face à un soldat de légende, et hocha enfin la tête.

— C'est bon, je vais m'en occuper.

Il s'éloigna en boitillant, jurant à chaque pas. « Quel imbécile », songea Cade. Le caractère excessif de Smython finirait par le tuer si quelqu'un ne s'en chargeait pas avant.

Puis il s'agenouilla de nouveau, tisonnant pensivement le feu. Lenny allait bientôt se mettre en poste et surveiller Sonny. Lui resterait en arrière pour protéger Ellie de Jerome, et veiller à ce que cette nuit ne soit pas la dernière d'une vie trop courte.

8.

Ellie arpentait la cave dans la lumière du matin, du moins ce qui en filtrait à travers les vitres sales des soupiraux.

Comme elle ne pouvait identifier le véhicule qui était venu puis reparti, et comme elle n'avait pas entendu les paroles qui avaient été échangées, elle s'occupa l'esprit en songeant aux motifs qu'elle avait vus dans le carnet de Lenny la veille au soir.

Elle avait subtilisé le carnet bien avant que Cade ne s'endorme et non, comme il le croyait, lorsqu'elle s'était approchée de lui pour lui mettre une couverture.

Ellie posa une main légèrement tremblante sur ses lèvres en songeant à ce qui avait suivi. Il lui semblait sentir encore les baisers de Cade, son parfum sur sa peau. Elle ne connaissait rien aux hommes, mais elle était sûre d'une chose : Cade avait fait davantage que l'embrasser. Il l'avait consumée. L'espace d'un court instant, elle s'était sentie merveilleusement bien, comme si la vie lui offrait en bloc tout ce qu'elle avait pu désirer…

Et dire que, trois jours plus tôt, elle s'était imaginé qu'une misérable valse la satisferait. A présent qu'elle avait eu un avant-goût du paradis, elle voulait davantage. Bien davantage.

Cade lui avait prouvé qu'un homme pouvait la trouver attirante. Il n'avait paru se soucier ni de son inexpérience, ni de sa maladresse. Et c'était soudain des horizons nouveaux qui s'ouvraient à elle. Après tout, l'avenir lui réservait peut-être davantage qu'une vie entièrement dévouée à sa famille et à son roi. Peut-être méritait-elle de trouver un homme qui ferait son bonheur.

Si du moins il savait voir qui se cachait derrière ses grandes lunettes. *Si* encore il était déterminé à briser les barrières de sa timidité. *Si* enfin il était assez patient pour lui apprendre les gestes de l'amour.

Trois jours plus tôt, elle se serait contentée d'une valse.

A présent, elle voulait Cade St. John. Rien de moins. Il répondait en effet à toutes ces conditions. Il y ajoutait un physique ravageur et une virilité presque agressive qui contrastait avec la douceur dont il était capable.

Et il la désirait. De cela, elle ne doutait plus. Le seul problème était qu'il devrait également la tuer.

Elle secoua la tête, préférant ne pas penser à ce que la nuit prochaine lui réservait, et s'accroupit de nouveau pour étudier les symboles recopiés du carnet de Lenny, qu'elle avait dessinés dans la poussière. Le fait de déchiffrer son code l'aiderait peut-être à gagner sa liberté. Le carnet devait être important pour que Cade ait pris le risque de le subtiliser à son complice.

Sourcils froncés, elle suivit lentement les lignes du doigt. Le motif ressemblait à une flèche rentrant dans un demi-cercle. Elle avait trouvé ce symbole à trois endroits différents dans le carnet de Lenny, dessin égaré au milieu de séries de mots ou de lettres.

Son doigt suivit le tracé de la flèche, puis bifurqua et suivit la panse arrondie du demi-cercle. Elle eut l'impression d'avoir dessiné un D.

Mais bien sûr ! La lumière éclata dans son esprit, presque aveuglante. Soudain, tout lui parut clair. Le symbole était constitué de lettres !

Elle suivit de nouveau le tracé de la flèche, mais descendit cette fois vers les traits qui lui servaient d'empennage. Il y avait un F d'un côté, un K de l'autre !

Ces trois lettres, elle les connaissait bien pour les avoir souvent transcrites pour le roi Easton. FDK. Le Front démocratique du Korosol.

Lenny était-il membre de ce parti extrémiste qui avait depuis peu renoncé au terrorisme et rejoint le Parlement ? Le kidnapping de Lucia était-il la première étape d'une tentative de révolution, de coup d'Etat ?

Elle s'assit sur ses talons, songeuse.

— Non, ils ne peuvent pas faire ça.

Le roi Easton avait en effet travaillé d'arrache-pied pour intégrer le FDK au gouvernement. Des membres du FDK tentaient-ils de saboter ce rapprochement ?

— Ils ne peuvent pas faire ça, répéta-t-elle avec colère.

— A qui parlez-vous ?

La voix sensuelle de Cade la fit tressaillir et elle se redressa en hâte, effaçant du pied ses dessins.

— A personne.

Son cœur se mit à battre plus vite, mais elle n'aurait su dire pourquoi. Puis elle rougit lorsqu'elle en comprit la raison : il s'était rasé.

Elle avait supposé que sa barbe de trois jours dissimulait un masque menaçant. Au lieu de cela, elle vit qu'il avait une charmante fossette au menton, des pommettes hautes et des traits qui avaient gardé une certaine forme d'innocence juvénile, en même temps qu'ils étaient empreints d'une virilité aristocratique.

120

Quand elle se rendit compte qu'elle le regardait fixement, comme si elle n'avait jamais vu un homme auparavant, elle s'empourpra de plus belle. Cade dut s'en apercevoir car il sourit largement. Elle remarqua pour la première fois qu'il avait une petite cicatrice au-dessus de la lèvre supérieure.

— Je... J'aime bien parler toute seule, bredouilla-t-elle pour couvrir sa gêne. Il faut dire que la compagnie n'a pas été très agréable, ce week-end.

— Merci pour moi.

Il ramassa sa couverture, la plia grossièrement sur son bras et se dirigea vers l'escalier. Instinctivement, elle se précipita à sa suite et lui toucha le bras. Puis elle fit un pas en arrière.

— Je suis désolée. Je ne voulais pas dire ça. Je ne veux pas rester seule.

Elle réalisa ensuite qu'il emportait sa couverture et enchaîna :

— Qu'est-ce que vous faites ?

— Je vais vous fabriquer un paravent pour que vous puissiez prendre un bain. Je vais dire à Jerome de rester dans la maison, mais je ne voudrais pas qu'il vous lorgne par la fenêtre.

— Un bain ?

Tous ses plans de fuite s'évanouirent en un instant à cette idée. Avait-elle bien entendu ?

— Rien d'extraordinaire, notez. J'ai réussi à vous trouver une brosse à dents neuve, mais je n'ai pas de gant de toilette. L'eau chaude sera prête quand j'aurai mis la couverture sur son fil.

Ellie fit de son mieux pour dissimuler son excitation à l'idée de se laver.

— Il y a du savon ?

Cade sourit, une lueur malicieuse dans le regard.

— Oui. Alors, ça vous tente ?

Ellie pouvait presque sentir la couche de poussière qui pesait sur elle, la crasse sous ses ongles. On allait lui enlever sa chaîne. Elle allait respirer de l'air frais.

— Oui.

Cade, contrairement à ce qu'elle avait espéré, ne vint cependant pas la libérer aussitôt.

— Qu'est-ce que vous faisiez quand je suis arrivé ? demanda-t-il en jetant un regard curieux au dessin qu'elle avait effacé.

Une demi-douzaine de réponses lui traversèrent l'esprit, mais elle savait qu'il détecterait aisément un mensonge.

— J'ai essayé de déchiffrer le code de Lenny, confessa-t-elle. Etes-vous membres du FDK ?

Le sourire de Cade s'évanouit aussitôt.

— Non.

— Lenny doit l'être, en tout cas.

— Vraiment ? fit-il d'un ton perplexe.

— Il y avait les lettres FDK partout dans son carnet. Donnez-le-moi, je vais vous montrer.

Il baissa les yeux vers sa main tendue, puis les releva vers son visage.

— C'est inutile.

Mais Ellie n'était pas prête à abandonner aussi facilement. Ce carnet devait avoir son importance. En aidant Cade à le déchiffrer, peut-être gagnerait-elle sa liberté.

— Je crois que les autres symboles sont des coordonnées. Latitude, longitude.

— Comment avez-vous eu le temps de voir tout ça ?

— Je n'ai pas pris le carnet pendant que vous dormiez. Quand vous vous êtes réveillé, j'étais vraiment en train de vous couvrir.

Une lueur d'incrédulité, puis de colère, éclata dans son regard.

122

— Bon sang, je ne peux pas vous faire confiance.

— Pas davantage que je ne peux vous faire confiance.

Il darda sur elle l'un de ces regards indigo qui semblaient vouloir lui faire passer un message, puis tourna les talons. Il l'abandonnait. Dans un accès de désespoir, elle se précipita vers lui, et sa chaîne racla le sol avec un cliquetis pitoyable.

— Vous aviez l'air d'avoir froid ! cria-t-elle.

Il s'arrêta au milieu de l'escalier, soupira, puis tourna les talons et redescendit avec tant de détermination qu'Ellie battit en retraite.

Réalisant qu'elle n'avait de toute façon nulle part où aller, elle s'immobilisa et l'attendit. Quand il arriva à sa hauteur, elle fut surprise de constater qu'aucune colère ne se reflétait sur ses traits.

Contre toute attente, il leva la main, lui caressa la joue et glissa les doigts dans ses cheveux.

— Ellie…

Lorsqu'il prononçait son nom de cette façon, comme s'il ne savait décidément pas quoi faire d'elle, Ellie se sentait fondre. Sa confusion le rendait plus humain, moins intimidant. Elle se sentit prise de compassion pour l'homme vulnérable qui se cachait derrière cette armure de dur à cuire, et inclina son visage contre sa main.

— Vous souffriez dans votre sommeil. Peut-être était-ce à cause du cauchemar et pas du froid. J'ai juste voulu vous aider.

— Je n'ai pas besoin qu'on m'aide, répondit-il, gentiment cette fois. Je me débrouille tout seul depuis que j'ai dix-neuf ans. Même quand j'ai des cauchemars.

Ellie essaya de se l'imaginer adolescent, mais échoua. Elle n'arrivait pas à faire coller cela avec son image de mercenaire endurci.

— Vous ne me posez pas de question sur le scandale ? reprit-il, amer. Vous ne voulez pas savoir comment un duc fortuné a pu finir dans la misère et la déchéance ? Comment un homme a pu passer sa vie à chercher l'affaire, ou la partie de cartes qui tout d'un coup changerait sa vie, lui rendrait sa fortune et sa réputation ? Ce n'est pas plutôt ça que vous voudriez savoir ?

— Non.

— C'est pourtant ce que tout le monde veut savoir.

Son ton était lourd de sarcasme, mais Ellie savait que ce n'était qu'un mécanisme de défense. Son père avait utilisé exactement le même pour parler de son frère Nick. Il y avait la même colère mêlée de culpabilité dans leurs voix, la même douleur refoulée dans leurs yeux.

— Je suis désolée. Je ne voulais pas évoquer de mauvais souvenirs. Je… Je pensais pouvoir vous aider. Ma famille me manque aussi beaucoup et…

— Ellie, voilà que vous recommencez.

Doucement, il lui enleva ses lunettes. Mais il se trouvait à présent si près d'elle qu'il n'était presque pas flou.

— Que je recommence quoi ?

— A vous soucier de moi.

Il l'embrassa par surprise, si vivement que ce fut fini avant qu'elle pût protester.

— Ne perdez pas votre temps avec un type comme moi. N'essayez pas de m'aider. Je vais très bien, et je me débrouille tout seul.

Ellie baissa les yeux et acquiesça, confuse.

— Bien sûr. Je suis désolée.

— Ne vous excusez pas. C'est juste que je n'ai pas très envie de discuter de ma famille. C'est un sujet que j'évite en général.

124

Malgré ce qu'il venait de lui dire, Ellie posa sur lui un regard plein d'un espoir nouveau. Cade St. John était bien davantage qu'un mercenaire. Car comment faire preuve de tendresse sans l'avoir d'abord connue ? De compassion sans avoir soi-même souffert ?

Pourtant, il niait toute cette partie de lui-même. Il niait sa douleur. Il niait sa bonté.

Pourquoi ?

Ellie n'en avait aucune idée. Elle n'avait aucune expérience à laquelle se référer. Elle savait juste qu'elle n'abandonnerait pas. Il devait y avoir une façon de toucher le cœur de son compagnon, ou sa conscience. Et le meilleur moyen était certainement de donner d'elle-même, de son temps, de son intelligence, de sa persévérance.

— Peut-être que si vous acceptiez d'en parler, dit-elle avec son pragmatisme habituel, vous n'auriez pas de cauchemars.

— Bien essayé, mais ce n'est pas la peine. Allez, venez. Votre bain vous attend.

Tirant un jeu de clés de sa poche, il s'agenouilla et ouvrit l'anneau qui lui emprisonnait la cheville. Puisqu'il ne voulait pas qu'elle s'occupe de lui, Ellie décida de passer à un rapport plus professionnel, de captive à geôlier, et de marchander sa liberté.

— Vous ne voulez pas me montrer le carnet de Lenny ? Il contient des notes en sténo. Je peux les transcrire.

— Pourquoi feriez-vous ça pour moi ?

— Parce que si je vous aide, peut-être que…

— Je ne peux pas vous laisser partir, Ellie.

— Vous avez tellement besoin de cet argent ? soupira-t-elle. Il doit y avoir un autre moyen. Je sais que vous ne me voulez pas de mal.

— En effet, je ne vous veux aucun mal. Mais il y a davantage que de l'argent en jeu. Bien davantage.

Sa voix était lourde de sous-entendus, mais il ne daigna pas en dire davantage.

— J'ai besoin que vous jouiez le rôle de la princesse Lucia pour un petit moment encore.

Ellie ne répondit rien. Cela signifiait donc qu'elle devrait se débrouiller toute seule. Et surtout, qu'elle devrait prendre garde de ne pas tomber amoureuse de son ravisseur.

Car de toutes les humiliations qu'elle avait endurées, ce serait sans doute la pire !

Cade se demanda si les différents coups qu'Ellie lui avait assénés ne l'avaient pas rendu idiot. Il se comportait en tout cas comme s'il l'était !

Mais les quelques jours qu'il avait passés avec elle avaient, pour une raison ou une autre, fait ressurgir d'étranges et douloureux souvenirs à la surface de sa mémoire : son père affalé sur son bureau, les flots de sang... Il avait été le premier à lire la note tachée que Bretford avait laissée. C'était lui qui avait appelé la police. Lui qui avait dû répondre aux questions de la presse dès le lendemain. Lui qui avait dû répondre aux créanciers.

Il n'était qu'un gamin, à l'époque !

Il savait que son père était malade, et que sa passion maladive pour le jeu ne pouvait être soignée par l'amour ou la raison. Après le départ de sa mère, Cade était resté le seul soutien de son père. Mais il n'avait rien pu faire pour l'aider. Rien du tout.

Il inspira profondément et chassa ces pensées de son esprit, tout en enroulant une serviette autour de la poignée du seau d'eau fumante. Il aurait aimé pouvoir aider Ellie et lui rendre sa liberté, mais sa priorité était sa mission. Il l'avait acceptée et promis de la mener à bien. Il était trop tard pour reculer, à présent. Trop tard pour avoir des regrets. En bon soldat, il était décidé à aller jusqu'au bout.

Même si une innocente risquait d'en pâtir.

Et maintenant, voilà qu'elle voulait l'aider, *lui* ? Fichtre, il avait besoin d'un psychiatre pour comprendre une chose pareille !

Il transporta le seau d'eau chaude et le versa dans la baignoire sabot installée à l'extérieur. C'était se donner beaucoup de mal étant donné qu'il lui faudrait ramener Ellie dans sa cave crasseuse sitôt son bain terminé, mais Rademacher avait insisté pour que leur otage fût présentable.

De plus, Ellie avait paru enchantée à l'idée de ce bain, et il n'était pas fâché de pouvoir lui offrir un moment de répit. Avec un peu de chance, peut-être même le gratifierait-elle de l'un de ces sourires qu'il en était venu à guetter avec fébrilité quand il était en sa présence.

Après l'avoir vidé, Cade jeta le seau à terre et entreprit d'étendre la couverture sur le fil qu'il avait tendu devant la baignoire.

— C'est bon, Votre Altesse, tout est prêt.

Il détestait l'appeler par un nom qui n'était pas le sien, mais cela l'aidait à se distancier d'elle. Dieu savait qu'il en avait besoin. Et puis, Jerome était peut-être à portée de voix.

Ellie se leva de la souche sur laquelle il lui avait ordonné de s'asseoir. Elle s'était déshabillée et n'avait gardé que sa chemise, qui lui tombait à mi-cuisses et soulignait ses formes sensuelles. Elle était sexy en diable.

— Hmm, murmura-t-elle en trempant un doigt dans l'eau, avec un sourire de Mona Lisa. Elle est parfaite.

Cade ignora les tiraillements de sa virilité et ordonna de sa voix la plus détachée :

— Allez-y pendant que c'est chaud, princesse.

Sa voix la plus détachée sonnait malheureusement très artificielle, et la jeune femme lui jeta un regard curieux. Après tout, au point où il en était, inutile de faire semblant. Il avait mélangé les sentiments et le travail, et les deux étaient à présent si inextricablement mêlés qu'il était difficile de faire machine arrière.

Ellie remonta ses lunettes sur son nez, une habitude qui, il le savait, trahissait sa nervosité. Elle agrippa les pans de sa chemise, comme si celle-ci risquait de s'envoler, et ne fit pas mine de s'approcher de la baignoire.

— Tournez-vous.

Le cœur de Cade faisait des bonds dans sa poitrine. Une partie de lui-même lui soufflait de la prendre dans ses bras et de la rassurer, de lui murmurer que tout irait bien, qu'elle était digne d'être admirée. Mais sa méfiance instinctive de soldat lui rappela également ses différentes tentatives d'évasion, le coup qu'elle lui avait porté avec le crochet de la lanterne, la course dans les bois, le carnet qu'elle lui avait subtilisé.

— Désolé, princesse, mais je ne vous fais pas assez confiance pour vous tourner le dos. Alors rentrez dans ce bain, ou je vous y mets moi-même.

La jeune femme fit une chose à laquelle il ne s'attendait pas. Elle rougit.

— Pouvez-vous me tenir ça, s'il vous plaît ?

Cade vit qu'elle lui tendait ses lunettes. Il les mit dans sa poche et attendit, la gorge sèche, qu'elle se déshabille. Elle se retourna enfin et fit passer sa chemise au-dessus de sa tête.

Cade se demanda alors si son cœur n'allait pas exploser. Le corps d'Ellie tout entier paraissait s'être empourpré. Ses hanches. La courbe affolante de ses reins.

Pareil à un adolescent énamouré, il la regarda bouche bée, les yeux comme des soucoupes, espérant qu'elle allait se retourner. *Priant* pour qu'elle se retourne.

128

Idiot, idiot, idiot !

Il ne se remit à respirer que lorsque la jeune femme glissa enfin dans l'eau du bain, soustrayant ses trésors à l'avidité de son regard. Il fit de son mieux pour ignorer le clapotis de l'eau contre sa peau et les soupirs de contentement qu'elle poussait.

Contournant le paravent improvisé qu'il avait mis en place, il scruta la ligne des arbres pour s'assurer que personne ne les observait, tout en gardant Ellie dans son champ de vision. Lorsqu'elle renversa la tête en arrière pour se rincer les cheveux et exposa un cou d'albâtre, un cou dont il avait envie d'embrasser chaque centimètre, il lui tourna enfin le dos.

C'était ridicule. Ellie Standish n'était qu'une secrétaire anonyme qu'il n'avait jamais remarquée. Elle n'avait aucune sophistication, ne ressemblait en rien aux femmes qu'il aimait en général. Et elle n'était qu'un instrument dans la mission qu'il s'était fixée.

Il soupira. Il avait beau se répéter cela, essayer de se détacher d'elle, il n'y parvenait pas. Il devait pourtant contrôler cette pulsion insensée qui le poussait à aller la rejoindre dans son bain. Il devait se concentrer sur son travail.

Songer à Winston Rademacher était encore le meilleur moyen de le refroidir. Leur employeur n'avait rien trahi de l'identité de son propre commanditaire.

La frustration de Cade croissait à chaque minute qui passait, d'autant que l'heure de l'échange approchait. Si au moins il avait su ce qui se tramait, il aurait pu mettre un plan au point, passer à l'offensive au lieu d'attendre passivement.

Il n'avait pas hésité à laisser salir son nom pour cette mission. A devenir le traître qu'Ellie l'accusait d'être. Et tout cela sans résultat. Il n'avait pas avancé d'un iota.

Peut-être le FDK avait-il fait machine arrière. Peut-être avaient-ils voulu utiliser Lucia pour obtenir davantage du roi.

Ils avaient pu engager Winston Rademacher pour leur servir d'écran, de fusible au cas où les choses tourneraient mal.

C'était une hypothèse qu'il ne pouvait négliger. Même si une autre avait sa faveur : Rademacher pouvait également travailler pour son protégé, le prince Markus, dont il était le bras droit. Si Markus devenait roi, Winston devenait l'éminence grise du royaume. Markus était un imbécile, Rademacher tiendrait dans les faits les rênes du pouvoir…

— Cade ?

Il était presque redevenu un parfait soldat lorsque la jeune femme l'appela. Pour un homme supposé se concentrer sur sa mission, il s'était mis dans une position délicate…

Elle émergea telle Vénus de l'eau. Un bras sur sa poitrine, l'autre plus bas, elle sortit de la baignoire. L'eau coulait de ses cheveux sur sa peau laiteuse, et il jalousa soudain les gouttes qui couraient si librement sur son corps. Il était assez proche d'elle pour voir qu'elle avait la chair de poule, et sa température interne parut augmenter de quelques degrés malgré la fraîcheur de l'air.

— Est-ce que je pourrais avoir une serviette ?

Ses oreilles le trompaient-elles, ou y avait-il de la séduction dans sa voix ?

— Une serviette, répéta-t-il stupidement.

Ellie baissa les yeux et rougit. Comme attiré par un aimant, Cade s'approcha d'elle. Il détourna fugacement le regard, songeant qu'il devait se comporter en gentleman et éviter de jouer les voyeurs. Puis il se rappela qu'il était trop tard pour laisser croire qu'il était un gentleman et la fixa de nouveau.

— Savez-vous à quel point vous êtes belle ?

Elle se mit à rire et rougit davantage.

— La serviette, s'il vous plaît.

Bien que réticent à cacher une telle œuvre d'art, il prit l'une des serviettes qui servait de paravent et la lui présenta ouverte. Ellie leva vers lui un regard incertain et plissa les yeux pour mieux le voir.

— Je préférerais que ce soit vous, le myope.

Cade sourit, soulagé qu'elle ne puisse voir à la protubérance de son pantalon l'effet qu'elle produisait sur lui.

— Venez ici.

Il avait parlé d'une voix douce, et elle fit un pas vers lui. Cade s'avança lui aussi, puis l'enveloppa de la serviette, non sans regarder une dernière fois sa chute de reins.

Après avoir attaché la serviette comme un paréo, elle se tourna vers lui. Cade n'avait toujours pas enlevé ses mains de ses hanches.

— C'est vrai que vous me trouvez jolie ?

Comment pouvait-elle poser une telle question ? Débarrassée de ses grosses lunettes, elle était d'une beauté peu commune dans tous les sens du terme. D'abord parce qu'elle ne ressemblait pas au prototype de la liane anorexique vanté dans les magazines féminins. Ensuite parce que sa beauté avait également une dimension intérieure. A croire que quelque chose irradiait de son âme, traversait les pores de sa peau et venait le toucher droit au cœur. Et ces yeux ! Il ne se lassait pas de les regarder. Ils lui rappelaient les lacs des montagnes du Korosol.

Il resserra son emprise sur ses hanches.

— Je vous trouve bien plus que cela.

Elle posa une main sur sa poitrine, en un geste d'une sensualité qui le prit de court et faillit bien lui faire perdre tout contrôle sur lui-même.

— Alors vous me trouvez jolie…, murmura-t-elle. Est-ce que vous croyez qu'un homme voudrait bien…

Puis elle secoua la tête et rougit de nouveau.

— Je suis désolée. Je ne suis pas habituée à ça…

— A quoi ? demanda Cade.

Mais il connaissait déjà la réponse.

— Je ne veux pas mourir sans avoir… Je veux dire, je n'ai jamais connu d'homme. Est-ce que vous…

Cade l'interrompit d'un baiser d'une infinie douceur.

— Ellie. J'en ai envie, moi aussi.

— Avec moi ? repartit-elle, presque étonnée.

Cette question lui alla droit au cœur. Il lui avait assez menti au cours des derniers jours. Cette fois, il allait lui dire la vérité. Même si elle lui faisait peur.

— Oui. Avec vous plus qu'avec aucune autre.

Il captura ses lèvres en un baiser passionné, possessif, ignorant les signaux d'alarme que lui envoyait son esprit. Non, il n'était pas en train de commettre la plus grosse erreur de sa vie. Comment était-ce possible, alors qu'il prenait tant de plaisir à la tenir dans ses bras ?

Pourtant, au fond de lui-même, un reste de raison lui soufflait que ce n'était pas si simple. Ellie était le genre de fille dont il avait entendu parler adolescent, avant que les problèmes de son père n'infléchissent le cours de sa vie. C'était une fille bien. Le genre de femme que l'on épousait, qui vous donnait des enfants merveilleux, avec laquelle on fondait un foyer.

Mais Cade n'avait pas de foyer. Et il n'en aurait sans doute jamais. Ellie Standish ne faisait pas partie de son avenir. Il ne lui imposerait pas le nom honni des St. John. Peut-être était-ce la raison de tout cela, d'ailleurs. Peut-être la désirait-il précisément parce qu'il savait qu'il ne pouvait pas l'avoir.

— J'aimerais pouvoir vous dire ce que vous voulez entendre, murmura-t-il, traçant un sillon de baisers le long de sa gorge. Mais je ne peux pas vous promettre…

— Vous n'avez rien besoin de promettre.

Cade se figea. La magie du moment disparut pour laisser place à la froide réalité.

Il n'aurait su dire, en cet instant, ce qui le surprenait le plus : la détermination dans la voix d'Ellie, ou le canon de son propre Browning 9 mm, qu'elle pointait contre son estomac.

9.

Ellie serrait l'arme farouchement, surprise par le poids de celle-ci. Elle recula pour se mettre hors de portée de Cade, plissant les yeux pour essayer de percer un peu le flou qui l'entourait.

— Ne bougez pas, ordonna-t-elle.

Il obéit et écarta les bras pour lui montrer qu'il n'était pas armé. Ellie n'arrivait pas à croire que son plan avait marché. Tout en l'embrassant, elle avait réussi à ouvrir son holster et à s'emparer de son arme. Mais son corps tremblait encore des baisers qu'ils avaient échangés. Elle avait bien failli oublier, l'espace d'un instant, qu'il était son ennemi.

Mais elle n'était pas princesse, et il n'était pas davantage son prince charmant.

Aussi s'était-elle ressaisie de justesse et s'était-elle concentrée sur ce qu'elle avait à faire. Elle avait songé à la liberté, au Korosol, et avait résisté à la terrible envie de s'abandonner à ses caresses. Car l'issue finale en serait la mort. Et l'homme le plus séduisant du monde ne valait pas ce prix, même si Cade avait réussi à l'en faire douter.

— Au moindre geste, je tire. Je n'en ai aucune envie, mais je vous jure que je n'hésiterai pas. Puisque vous ne voulez pas m'aider, je ne peux compter que sur moi. Je suis désolée.

D'une main, elle serra la serviette qui dissimulait son corps et fit un signe de tête en direction de la vieille berline noire garée devant la maison.

— Restez où vous êtes. Moi, je prends la voiture.

— Comment ? Les clés sont dans ma poche. A moins que vous ne sachiez la faire démarrer avec les fils ?

Ellie retint un juron de frustration. Elle n'avait pas prévu cela. La chance semblait prendre un malin plaisir à se dérober dans les moments les plus cruciaux.

— Donnez-moi les clés, ordonna-t-elle.

— Non.

Sentant l'impatience la gagner, Ellie lâcha la serviette pour tenir son arme à deux mains. Elle la pointa droit sur le torse de Cade.

— Donnez-moi les clés, répéta-t-elle lentement.

— Il faudra venir les chercher.

Il semblait parfaitement à l'aise, comme si c'était un jouet qu'elle pointait sur lui. Il posa ensuite ses mains sur ses hanches, en une attitude décontractée qui n'abusa pas Ellie. Il se préparait au combat.

— Si vous approchez, reprit-il, de deux choses l'une : ou je vous désarme, ou je vous embrasse passionnément pour me venger du petit numéro de séduction que vous m'avez joué.

— Me… M'embrasser ? bafouilla Ellie sous le coup de l'indignation.

Mais il lui semblait soudain qu'elle avait du mal à respirer. Elle savait que Cade ferait exactement ce qu'il avait dit. Et même si elle tenait toujours son pistolet, elle eut l'impression que le rapport de force venait d'être renversé.

— « Vous me trouvez vraiment jolie ? » railla Cade, imitant sa voix. Et dire que je vous prenais pour une jeune femme timide et innocente. Vous vous y connaissez en manipulation, il n'y a pas de doute. Je me suis fait avoir comme un bleu.

— Je *suis* innocente, martela-t-elle. Je n'ai rien fait pour mériter ça. Je veux juste rester en vie et rentrer chez moi. Je n'ai rien demandé à personne.

Cade resta impassible et froid.

— Dans ce cas, vous allez devoir me tirer dessus.

Ellie le regarda droit dans les yeux, tentant de déterminer s'il bluffait. Elle le fixa ainsi jusqu'à en avoir un début de migraine.

— Puisque c'est comme ça, reprit-elle, je m'en vais. Je trouverai bien quelqu'un pour m'aider le long de la route.

— Vous allez partir dans les bois avec une serviette pour tout vêtement ? Les gens vont vous prendre pour une folle. Ils vont accélérer en vous voyant.

Elle réalisa son erreur, mais il était trop tard pour reprendre la main. Cade avait fait mouche. Elle n'avait pas de plan, aucune idée de la marche à suivre. Elle ignorait même si le pistolet était muni d'une sécurité qu'elle était supposée ôter avant de faire feu.

Mais tout valait mieux que de retourner dans cette horrible cave. Elle fit un pas en arrière, puis un autre, et encore un autre.

— Ne me suivez pas.

— J'ai vos lunettes.

Un roulement de tonnerre ébranla l'horizon comme un glas funèbre. Ellie regarda à droite, puis à gauche. Elle ne voyait même pas les arbres.

Alors son courage l'abandonna. Des larmes lui montèrent aux yeux et, l'espace d'une seconde, elle vit plus clairement à travers elles. Cela lui suffit pour apercevoir l'expression glaciale de Cade, qui s'avançait vers elle.

Comme il l'avait prévu, elle n'osa pas tirer. Elle n'était pas une meurtrière. Et elle ne lui voulait pas de mal. Elle avait perdu la partie.

— Un petit conseil, dit-il en récupérant son arme. Ne pointez jamais un pistolet sur quelqu'un si vous n'êtes pas prête à l'utiliser.

D'une seule main, il remit l'arme dans son holster et le referma. L'autre agrippa telle une serre le bras d'Ellie et il l'entraîna sans violence, mais sans douceur non plus, vers la maison. Il ne s'arrêta que pour ramasser ses vêtements en chemin et les lui mettre dans les bras.

Ellie les serra contre elle, luttant contre les larmes, le découragement, la fatigue, et un maelström de sentiments qu'elle ne comprenait pas.

A l'intérieur, il ouvrit la porte de la cave et la fit descendre. Puis il lui ordonna se s'habiller et la regarda, menaçante sentinelle, tandis qu'elle s'exécutait. Quand enfin il se baissa pour lui remettre sa chaîne, elle retrouva l'usage de la parole.

— Je vous déteste.

Lentement, il se redressa. Il la toisa de toute sa hauteur, consumant l'espace de son imposante silhouette. Ellie se refusa à baisser la tête et affronta son regard la tête haute. Puis elle vit qu'il lui tendait ses lunettes, et ce geste atténua quelque peu la colère qu'elle éprouvait à son encontre. Cade avait une expression tourmentée, et elle se rappela qu'elle ne pouvait le juger aussi abruptement.

— Je suis désolée, soupira-t-elle. Je ne voulais pas…

— Je préfère que vous me détestiez, coupa son compagnon d'une voix lugubre. Ça me facilitera grandement la tâche quand je devrai oublier toute cette histoire.

Cade croisa ses jambes tendues et sirota sa bière. Les dessins du carnet de Lenny, qu'il étudiait depuis un moment, tournaient dans son esprit et s'emmêlaient, motifs tourbillonnants auxquels il peinait à donner un sens. Il avait décrypté bien des codes, dans sa vie, mais ces notes en sténo lui donnaient du fil à retordre.

« Je pourrais vous transcrire les notes en sténo, si vous voulez. »

La voix presque suppliante d'Ellie résonna dans sa tête et se grava dans son esprit, comme ses courbes sensuelles paraissaient s'être gravées en lui depuis qu'il l'avait embrassée. Il prit une nouvelle gorgée de bière et la garda un moment dans sa bouche en une pitoyable tentative pour oublier le goût de ses baisers.

Tout cela était vain. Il ne pouvait oublier Ellie. Il l'avait dans la peau, aussi insaisissable et indélébile que l'encre d'un tatouage.

Dépité, il porta un toast moqueur à Jerome, qui ronflait affalé dans le canapé à fleurs. Lui, au moins, n'avait pas perdu ses buts de vue. Il voulait de l'argent et des femmes, et ne laissait rien — ni homme, ni précepte — l'en détourner.

C'était tout simple. Méprisable, certes, mais simple.

Les buts de Cade, eux, étaient bien plus complexes. Où diable était-il allé chercher l'idée qu'Ellie pourrait lui apporter la paix, le soulagement ? Qu'elle pourrait laver son nom de l'opprobre qui y était attachée ?

Peut-être tirait-il cet espoir de la force inébranlable qui se dégageait d'elle. D'autres auraient cédé au découragement, à l'abattement, mais rien n'avait pu entamer ou briser l'esprit de la jeune femme. Si fragile en apparence, elle était un roc dans la tempête. Et il avait caressé l'espoir de s'y poser, de s'y accrocher.

Il s'était trompé. Ellie ne lui appartiendrait jamais. Pas après ce qu'il lui avait fait subir. Il ne la méritait pas. Il devait renoncer à tout espoir de salut.

Un portable sonna soudain dans la poche de Jerome, qui s'agita dans son sommeil sans se réveiller. D'un bond souple,

Cade s'approcha du dormeur et extirpa le téléphone de sa veste. Après avoir vérifié le numéro, il décrocha.

— St. John, annonça-t-il.

— Où est Smython ?

Winston Rademacher paraissait soupçonneux, et Cade s'éloigna de Jerome avant de répondre :

— Il est occupé. Qu'est-ce que vous voulez ?

Son interlocuteur marqua une courte pause. Puis il demanda :

— Je parie que vous aimez le jeu, Sinjun.

Cette évidente référence à son père l'irrita, mais il parvint à garder son calme.

— Pas vraiment, non.

— Vous devriez, pourtant. Le roi Easton a décidé de jouer les cow-boys. Il a mis son bras droit, le général Montcalm, sur l'affaire. Ce dernier est apparemment assez épris de Lucia.

Cade connaissait Harrison Montcalm. Comme lui, il avait été l'un des soldats d'élite de l'armée du Korosol. Leurs vies avaient juste suivi des chemins très différents après cela. Il savait que Harrison avait épousé Lucia au cours d'une cérémonie privée quelques jours plus tôt.

— Montcalm veut récupérer la princesse. Sur ordre du roi, il a contacté les autorités américaines pour leur demander de l'aide. J'ai bien peur que nous manquions de temps. La princesse doit être prête dans une heure. Je veux avancer l'heure de l'échange.

Oh-oh. Cade se passa une main dans les cheveux et se massa doucement la nuque pour en chasser la tension qui commençait à monter.

— Chaque fois que vous changez le plan, vous nous mettez en position de faiblesse, déclara-t-il. L'échange était prévu pour ce soir. On ne peut pas tout modifier comme ça.

Et surtout, il lui serait impossible de découvrir le fin mot de l'histoire avec seulement une heure devant lui…

Cade décida de passer à l'offensive

— C'était votre but dès le départ, n'est-ce pas ? enchaîna-t-il, sans laisser à son interlocuteur le temps de répondre. Vous avez l'intention de nous doubler, puis de donner tout l'argent à votre employeur. Nul doute qu'il saura l'utiliser lorsqu'il sera sur le trône.

— Qui essaie de nous doubler ? s'enquit une voix ensommeillée derrière Cade.

Ce dernier jeta un coup d'œil en arrière. Formidable. L'Affreux au bois dormant venait de se réveiller.

— A qui tu parles ? C'est mon téléphone ?

Cade estima qu'il avait trente secondes avant que Jerome ne soit complètement réveillé. Il devait agir vite.

— Que pense le prince Markus de votre changement de plan ? Si nous sommes capturés, nous pourrions parler. Surtout moi.

— Vous n'oseriez…

Winston se reprit de justesse avant de révéler l'identité de son patron. Puis il partit d'un rire sec.

— Bien joué, Sinjun. Mais je trouve votre intérêt pour l'identité de mon client quelque peu ennuyeux. Si j'ai préféré garder le secret, c'est précisément au cas où quelque chose tournerait mal. Mon client ignore également que Smython, Gratfield et vous travaillez pour lui. Vous devriez m'être reconnaissant des précautions que j'ai prises.

— Et qu'est-ce qui vous garantit que nous n'allons pas vous dénoncer ?

L'image d'un homme aux cheveux blancs s'imposa aussitôt à son esprit. Tony Costa. Bien sûr. Son but était de les éliminer tous trois lorsqu'ils auraient accompli leur mission.

— Je sais que vous avez du mal à penser à long terme, Sinjun, mais je suis un stratège. Je compte sur le succès de ce projet. Vous aurez votre argent, la dette de votre père sera réglée, et moi, j'aurai aussi ce que je veux.

— A savoir ?

— Comprenez que ce que nous faisons dépasse notre satisfaction personnelle. Il en va du bien et de l'avenir de notre pays.

Cela sonnait comme un slogan du FDK. Mais Cade doutait que les motifs de Winston Rademacher fussent d'ordre politique. Ce dernier était assoiffé de pouvoir et de réussite personnelle, ambitieux et prêt à tout. Le bien du Korosol était certainement le dernier de ses soucis. Même les criminels du FDK valaient mieux que lui.

— Vous serez donc là avec nous au moment de l'échange ? le défia Cade.

— Bien sûr que non.

Evidemment, Winston était bien trop lâche pour se mêler à l'action…

— J'ai cependant promis à mon client de superviser le projet jusqu'à son bon achèvement, reprit-il. Alors faites attention à vous, Sinjun. Je vous surveille.

— Donne-moi ce foutu téléphone !

Jerome s'était finalement extirpé de la torpeur provoquée par un mélange d'analgésiques et de bière. Il traversa la pièce en boitant, frappant le sol de sa canne de toutes ses forces, comme s'il portait à chaque pas un coup imaginaire à Cade.

Son acolyte cherchait la bagarre, c'était évident, mais Cade se refusa à entrer dans son jeu.

— Bien sûr, le voilà.

Il mit le téléphone dans la main de Jeromè et sortit à grands pas. Il avait une heure, une toute petite heure, pour prouver que Winston Rademacher était à la solde du prince Markus.

Une heure pour prouver qu'il s'agissait d'un complot interne à la famille royale. Une heure pour tout régler avant que Rademacher n'appelle Tony Costa pour faire le ménage.

Et comme si cela ne suffisait pas, il devait également trouver quoi faire de la fausse princesse qui attendait la mort enchaînée dans leur cave...

Elle allait mourir, elle le savait.

Comme au cours de leur première rencontre, trois jours plus tôt, Cade s'activait avec précision et efficacité, dans un silence tendu. Il avait défait sa chaîne, roulé son duvet en boule, lui avait ôté ses lunettes et les lui avait mises dans la poche. Puis il lui ordonna de se lever, lui mit la couverture sur les épaules, dissimula sa natte dessous et lui mit sa cagoule sur la tête.

Un frisson de désir et de peur mêlés la parcourut lorsqu'il effleura sa joue. Il dut la sentir se crisper, car il s'immobilisa aussitôt. Ellie avait envie de se laisser aller contre son épaule. C'était ridicule, elle le savait, de chercher du réconfort dans les bras de celui qui était sur le point de devenir son bourreau.

Au lieu de cela, elle se blottit dans sa couverture, mais la vieille laine usée ne fit que la démanger sans la réchauffer.

Il allait le faire. Il allait vraiment le faire. Il allait la conduire dehors et la tuer.

Elle était la mauvaise personne, qui avait eu pour seul tort de se trouver au mauvais endroit au mauvais moment. Elle se sentait pareille à Dorothy dans *le Magicien d'Oz*. Elle aurait dû se satisfaire de sa vie tranquille, sans surprise, confortable, au lieu de chercher l'aventure.

— Comment ai-je pu me tromper à ce point sur votre compte ?

Elle avait parlé sans en avoir l'intention. Les mots étaient sortis d'eux-mêmes, et avaient résonné dans l'air mort de la cave.

Elle se retourna pour faire face à Cade mais, sans ses lunettes, il n'était qu'une silhouette floue, incertaine, menaçante. Un mystère que sa totale inexpérience l'empêchait de percer.

— Vous m'avez donné de l'espoir, Cade. Vous n'auriez jamais dû faire une chose pareille. C'était cruel.

A sa surprise, il la prit doucement par les épaules, se pencha vers elle et lui murmura à l'oreille :

— Cet espoir existe. Il faut vous y accrocher.

— J'en aurai besoin, n'est-ce pas ?

Il poussa un profond soupir et la relâcha.

— Allez, venez.

Une main dans le creux de son dos, il la guida vers l'escalier.

— N'oubliez pas : quoi qu'il se passe là-haut, gardez le silence.

L'air extérieur la fit frissonner, malgré la couverture et le masque de Cade. Ou peut-être était-ce la froide détermination de son compagnon qui lui faisait peur. Car sitôt qu'ils sortirent, il l'entraîna vers la berline noire et en ouvrit le coffre. Ellie eut un mouvement de recul.

— Non !

Il la retint sans douceur.

— Montez, ordonna-t-il à voix basse.

Elle secoua violemment la tête. Pas question ! Elle ne se rappelait que trop la peur qu'elle avait éprouvée en se retrouvant dans ce même coffre. Et s'il contenait un autre cadavre ?

Ses sinus s'emplirent de larmes qu'elle était bien trop épouvantée pour laisser couler. De l'adrénaline pure pulsa dans ses veines et, malgré l'ordre de Cade, elle refusa d'obtempérer.

Avec un juron, il la prit par les bras et essaya de la faire rentrer dans le coffre. Ellie parvint à poser un pied sur le pare-chocs et poussa de toutes ses forces en arrière, mais elle ne pouvait pas rivaliser avec sa force. Il la souleva complètement et la lâcha dans le coffre comme un vulgaire sac de pommes de terre.

Un instant plus tard, elle sentit l'odeur de tabac froid de Jerome et se tapit au fond du coffre pour échapper à ses mains répugnantes.

— Tiens, voilà qui devrait la calmer.

— Laisse-la tranquille.

Une seringue pleine apparut dans son champ de vision, et elle hurla. Mais une main saisit le poignet de Jerome et le cogna violemment contre le rebord du coffre.

Jerome grogna, et la seringue tomba à l'extérieur. Il y eut un bruit de lutte et des insultes échangées, puis une troisième voix se fit entendre.

— Il y a un problème ?

Ellie se figea et, mue par la curiosité, se redressa. Cade et Jerome s'étaient tournés vers une troisième silhouette mais, sans ses lunettes, il lui était impossible de voir de qui il s'agissait. Mais elle connaissait cette voix, cet accent européen, cette élocution précieuse.

Instinctivement, elle tendit la main vers sa poche pour y prendre ses lunettes. Mais Cade se rapprocha du coffre et l'en empêcha d'une poigne de fer. Il bloquait à présent son champ de vision, et elle comprit soudain que ce n'était pas pour l'empêcher de sortir.

Non, il empêchait tout simplement cette tierce personne de la voir.

— Ces deux-là sont devenus bons amis, on dirait, ricana Jerome. Je voulais lui administrer un petit sédatif mais Sinjun m'a arrêté.

— Vraiment ?

Ellie tendit l'oreille. L'inconnu, elle en était sûre, avait déjà rencontré le roi Easton. Oui, elle connaissait cette voix. Il est vrai que sa position d'assistante du monarque lui permettait d'observer beaucoup de choses en coulisses, et de rencontrer beaucoup de monde.

— Notre Sinjun se serait donc épris d'une princesse ? ironisa l'inconnu.

Même si elle voyait flou, elle nota à la ligne de ses épaules que Cade s'était crispé et ramassé légèrement sur lui-même, comme un fauve prêt à bondir.

Y avait-il un quatrième ravisseur ? Ou cet homme jouait-il un autre rôle dans son enlèvement ?

— Smython, fit la voix, appelez Gratfield. C'est lui qui va conduire. Je doute qu'aucun d'entre vous soit digne d'escorter Sa Majesté à son rendez-vous.

— Lenny n'est pas là, répliqua Jerome.

— Et où est-il ?

Ce fut au tour de Cade de répondre.

— Je l'ai envoyé en reconnaissance dans les environs.

— Vous redoutez quelque chose ?

— Toujours. Principe élémentaire de précaution.

Ellie se crispa, consciente de la tension qui crépitait entre les trois hommes. Soudain, au moment le plus inattendu, une image s'imposa à son esprit. Elle avait déjà entendu cette voix parler avec le valet des Carradine, Quincy Vanderling. De quoi ? Elle ne s'en souvenait pas. Mais elle eut l'impression de toucher au but.

— Vous avez l'instinct de survie qui manquait à votre père, fit l'inconnu. Si Bretford avait eu votre force, il n'aurait peut-être pas éprouvé le besoin de se tuer.

— Si des gens tels que vous n'avaient pas tiré avantage de ses faiblesses, peut-être serait-il encore en vie aujourd'hui, repartit Cade d'une voix sourde.

L'autre partit de son rire sec, grinçant.

— Comme c'est touchant. Toujours loyal à votre père alors qu'il a dilapidé votre héritage.

144

— La loyauté fait parfois faire de drôles de choses.

Les mains de Cade glissèrent sur ses hanches, signe infaillible qu'il se préparait au combat. Sans vraiment se rendre compte qu'elle ne faisait qu'échanger un ennemi contre un autre, Ellie pria silencieusement pour sa victoire.

L'autre cessa aussitôt de rire et ordonna :

— Ça suffit, assez perdu de temps. Fermez le coffre.

Ellie s'agita dès que Cade se tourna vers elle. Même si elle éprouvait une bien involontaire empathie pour lui, elle n'allait pas se laisser mener sans combattre à l'abattoir.

— Non ! Lâchez-moi !

Cade essaya d'étouffer son cri de la main, mais il était trop tard pour réparer son erreur.

— Attendez.

L'homme réapparut, et se pencha sur le coffre.

— Sortez-la de là.

— Je croyais que nous étions pressés ? fit valoir Cade.

— Sortez-la ! répéta l'homme avec impatience.

Ellie retint son souffle tandis que Cade la soulevait de nouveau et la déposait sur ses pieds à l'extérieur. La silhouette s'approcha et, vive comme l'éclair, lui arracha son masque. Ellie poussa un cri de surprise.

— Winston Rademacher !

Il eut l'air aussi surpris qu'elle, l'espace d'un court instant, mais se ressaisit bien vite et partit d'un rire noir.

— Enchanté, mademoiselle.

Ellie n'arrivait pas à en croire ses yeux. L'homme qui donnait des ordres, le cerveau à la tête de cette opération n'était autre que le conseiller personnel du prince Markus !

— Eh bien, voilà un intéressant développement, reprit Rademacher, un éclat métallique dans le regard.

Jerome se méprit sur le sens de cette remarque, et protesta :

— Ça va, je ne l'ai frappée qu'une fois ! Elle venait de me donner un coup dans la cheville !

— La ferme, imbécile. Cette femme n'est pas Lucia Carradine.

— Q-Quoi ? bredouilla Smython. Mais elle portait la robe rouge ! La même que sur la photo que vous m'aviez donnée !

— Il faut croire qu'elle s'est déguisée, murmura Winston, faisant courir un doigt le long de la joue d'Ellie, puis la forçant à redresser le menton. Vous êtes la secrétaire d'Easton, n'est-ce pas ? Une fille du commun, sans aucune valeur pour nous. Et vous avez réussi à faire croire à cette bande d'idiots que vous étiez la princesse Lucia ?

Son incrédulité était presque insultante, même si son ego était bien la dernière des préoccupations d'Ellie en cet instant.

— Oui, répondit-elle fièrement.

— Je m'incline. C'est admirable.

Il la relâcha, et eut un sourire si inquiétant qu'elle recula jusqu'à heurter le pare-chocs de la voiture derrière elle.

— Tout cela est bien ennuyeux et va m'obliger à prendre des mesures drastiques. Cela n'a rien de personnel, bien sûr. Mais vous comprendrez que je ne puisse pas vous laisser en vie alors que vous connaissez mon nom. Sinjun ?

Cade fit un pas en avant, prêt à obéir.

— Oui ?

— Tuez-la.

Tournant les talons, Rademacher se dirigea vers son 4x4. Ellie eut l'impression qu'elle venait de recevoir un coup en plein plexus et agrippa le rebord du coffre pour ne pas tomber, tout en essayant de se remettre à respirer.

— Vous avez déjà un cadavre dans le lac, lança Cade à l'intention de Winston. Vous êtes sûr que votre patron veut laisser de tels indices derrière lui ?

146

Winston se retourna, blême de colère et d'impatience.

— Mon patron m'a donné carte blanche pour faire tout ce qui est nécessaire à la réussite de cette mission. Et maintenant, je dois avouer que je me demande si vous n'étiez pas au courant de l'identité réelle de cette fille.

— J'ignorais qu'elle n'était pas Lucia, répondit Cade sans ciller.

— Prouvez-le.

— Prouver quoi ?

— Votre loyauté. Envers moi. Envers ce projet.

Il sortit un mouchoir blanc de sa poche et s'essuya les mains comme s'il les avait salies.

— Rappelez-vous que vous êtes mon débiteur, ajouta-t-il.

— Je n'ai pas oublié.

Jerome prit brusquement Ellie par le bras et l'entraîna vers les deux autres.

— Laissez-moi descendre cette petite garce…

— Vous ne savez donc rien faire d'autre qu'exiger et jurer ? demanda Winston avec dédain.

— Je le mérite ! Je ne vois pas pourquoi il n'y aurait que Sinjun qui serait autorisé à prendre du bon temps avec elle…

La fin de sa phrase se perdit dans un gargouillis comme Cade le saisissait à la gorge. Ellie fit un bond de côté pour éviter les mouvements convulsifs de Jerome, dont le visage avait pris une teinte violacée.

— Lâchez-le, ordonna Rademacher.

Il avait sorti un petit pistolet de l'intérieur de son manteau, et le pointait à présent sur la tempe de Cade. Ce dernier n'en paraissait guère impressionné. Ellie, elle, était au bord de l'évanouissement.

— Bien sûr.

Au moment où les yeux de Jerome se révulsaient, Cade le relâcha et il tomba comme une masse, inconscient. Cade pivota lentement vers Rademacher, regardant droit dans le canon de l'arme.

— Il ne sait pas parler aux dames, déclara-t-il sans ciller.

Seigneur, voilà que Cade la défendait, au péril de sa vie, alors qu'il allait la tuer dans quelques minutes. Tous les hommes étaient-ils donc si difficiles à comprendre ? Ou seulement ceux dont elle tombait amoureuse ?

Cette prise de conscience la tétanisa. Elle était tombée amoureuse de Cade ? Quand ? Comment ? Pourquoi ?

Son geôlier et son protecteur. Comment le destin pouvait-il être aussi cruel ? Pourquoi lui entre tous ?

Il n'y avait qu'une seule explication. Ce qu'elle éprouvait pour lui n'était pas de l'amour. C'était une sorte de fascination macabre. Un fantasme. Le Cade St. John de ses rêves la chérissait, l'aimait, la désirait.

Le vrai était en train de sortir son arme pour la tuer.

— Je vais le faire.

Winston hésita puis, voyant qu'il n'impressionnait pas son sbire, rangea son pistolet.

— Elle est sous ma responsabilité, renchérit Cade. Puisque j'ai fait une erreur, c'est à moi de la réparer.

Ellie retint son souffle. Le vent était retombé, l'air était soudain d'une immobilité menaçante. Ou était-ce un effet de son imagination enfiévrée par l'approche de la mort ?

Cade fit glisser son chargeur, le vérifia et le remit en place d'un mouvement brusque qui la fit sursauter. Winston, pendant ce temps, sortit son téléphone portable de sa poche et, en réponse au regard interrogateur de Cade, expliqua :

— J'appelle un associé.

— Pour passer au plan B ?

— Oui. Tuez-la, maintenant.

Cade écarta les jambes et pointa l'arme sur elle.

Oh non… Non, non, non, non.

148

Devait-elle courir ? Il lui tirerait dans le dos. Devait-elle lui sauter dessus ? Elle n'avait pas la moindre chance.

— Attendez !

Ellie leva la main. Si la mort était inévitable, le mieux était encore de l'affronter la tête haute. Elle était Eleanor Standish, filleule de la regrettée reine Cassandra. Employée fidèle. Sœur. Fille. Amie.

— Pardonnez-moi, Ellie, fit Cade.

Elle haussa les épaules et eut un sourire presque serein.

— Je suppose que je n'aurai jamais droit à ma valse.

Cade appuya sur la détente, le coup de feu claqua comme le tonnerre.

Elle cligna des yeux. Ce n'était pas douloureux.

Puis elle se rendit compte que Winston Rademacher avait été projeté en arrière et gisait maintenant sur le dos, sa chemise maculée de sang. Vif comme l'éclair, Cade avait pivoté et mis un genou en terre dans le même mouvement, pour faire feu sur lui.

Avant qu'elle ait pu comprendre ce qui s'était passé, Cade tira deux fois dans les pneus du 4x4.

— On y va !

Il la prit par le poignet, l'entraîna vers la vieille berline et s'installa au volant. Il fit rugir le moteur et écrasa l'accélérateur. Les roues patinèrent, mordirent enfin dans le gravier. La voiture bondit vers l'avant.

— Baissez-vous !

De sa main qui tenait le pistolet, il lui appuya sur la nuque et la força à se coucher, la tête sur ses cuisses musclées.

— Mais qu'est-ce que vous faites ? Où m'emmenez-vous ?

Elle voulut se redresser, mais il la maintint farouchement pliée en deux.

— Cade…

La fenêtre arrière explosa littéralement, et une pluie de verre brisé retomba dans l'habitacle. Ellie hurla, puis agrippa la jambe de son compagnon et ne bougea plus.

Plusieurs coups de feu retentirent. Etant donné la violence des détonations, ce n'était certainement pas l'arme de Rademacher. Jerome avait dû se réveiller. Ou alors, Lenny était revenu au camp.

Par la fenêtre ouverte, Cade tira plusieurs fois. Puis quelque chose parut exploser sous la voiture, qui se déporta brutalement sur la droite. Cade jura, Ellie se mit à prier.

Au loin, la voix de Rademacher se fit entendre, déformée par la douleur.

— Tuez-les ! Tous les deux !

— Accrochez-vous ! cria Cade.

Lâchant son arme, il agrippa le volant à deux mains. La voiture parut quitter le sol un instant, puis retomba lourdement sur l'asphalte. Fébrilement, Ellie attrapa la ceinture de sécurité de son compagnon et réussit à la boucler.

Il y eut un nouveau bruit d'explosion, un bruit de caoutchouc brûlé et le couinement d'une roue qui se délitait. Ce bruit céda presque aussitôt place au grincement strident du métal sur l'asphalte.

— Je perds le contrôle !

— Cade !

Ellie se redressa juste à temps pour voir le monde basculer. Leur voiture fit un brusque tête-à-queue puis, après être restée comme suspendue dans le vide pendant une fraction de seconde, bascula dans le ravin.

10.

— Allez, ma belle. Nous devons bouger d'ici.

La voix de Cade perça le brouillard qui entourait Ellie. Elle grogna, ferma les yeux pour tenter d'arrêter le tourbillonnement de l'espace autour d'elle. Les mains de son compagnon se posèrent sur son crâne, glissèrent sur sa nuque, ses épaules et ses bras, palpant et cherchant d'éventuelles lésions.

Enfin, elle ouvrit les yeux et prit une profonde inspiration.

— Je vais bien. Enfin, je crois.

— Dieu merci.

Par miracle, ses lunettes étaient restées en place. La première chose qu'elle vit fut la coupure qui barrait d'un trait rouge la pommette de Cade.

— Vous êtes blessé !

— Ce n'est rien.

— Mais il faut nettoyer avant que ça ne cicatrise.

— C'est bien le dernier de mes soucis. Allons-y.

Il lui prit la main et l'entraîna à l'extérieur. Avec ses tennis trop grandes, Ellie dérapa sur le sol boueux et tomba à genoux. Une désagréable sensation d'humidité s'insinua sous ses vêtements. Cade la força à se relever et à courir jusqu'aux bois. Un mal de tête lancinant lui battait les tempes à chaque pas, mais Ellie serra les dents. Au loin, une bande de nuages noirs cachait le soleil déclinant, transformant la forêt en un lieu menaçant, peuplé de géants aux doigts griffus.

Ils pénétrèrent plus avant dans le bois, s'éloignant de la route, dernier lien avec la civilisation. Cade avait ralenti l'allure pour qu'Ellie puisse le suivre, ce qu'elle faisait docilement. Où l'emmenait-il ? Savait-il où il allait ?

Et pourquoi le suivait-elle aussi aveuglément ? Il avait bien failli la tuer, après tout !

Ellie stoppa net à cette idée, et Cade se retourna pour voir ce qui n'allait pas.

— Je vais trop vite ? Je suis désolé, Ellie. Vous tenez le coup ?

Il était de nouveau prévenant, doux et attentionné. Ellie ne savait plus à quel saint se vouer.

Alors qu'elle avait les poumons en feu, Cade semblait à peine essoufflé. Cela ne fit qu'ajouter à sa frustration, mais ce fut pour une toute autre raison qu'elle saisit son T-shirt noir à deux mains et le secoua comme un prunier.

— Dites-moi que vous êtes du bon côté !

— Toutes les fois que c'est possible, oui.

Cade jeta un regard circulaire aux environs, puis attira Ellie contre son corps brûlant.

— Commandant Cadence St. John, Opérations spéciales, à votre service. Je suis en mission top secrète pour le roi Easton. Vous n'avez que ma parole, parce que je ne me promène pas avec ma carte pour des raisons évidentes. Désolé de n'avoir rien pu vous dire plus tôt.

Bouche bée, Ellie le dévisagea, scruta les profondeurs de ses yeux.

— Vous êtes encore dans l'armée ? Vous n'êtes pas un déserteur ou un traître ?

Un sourire se dessina sur les lèvres sensuelles de Cade, qui posa une main sur sa joue.

— Je promets de tout vous dire plus tard. Pour le moment, j'aimerais mettre le plus de distance possible entre Rademacher et nous. Je ne crois pas qu'il ait apprécié la balle que je lui ai logée dans l'épaule. Et comme nous sommes les seuls capables de l'impliquer… Pouvons-nous reprendre cette conversation plus tard ?

Ellie regarda par-dessus l'épaule de son compagnon. Les grands espaces du Korosol lui semblaient bien loin, en cet instant. Ils n'avaient pour horizon qu'un amas de branches tordues et agitées par un vent glacial. Difficile, dans ces conditions, de ne pas perdre espoir.

— Si nous voulons nous échapper, pourquoi ne pas aller vers le sud ? Nous sommes en train de retourner vers la maison.

— Justement. C'est bien le dernier endroit où ils nous attendront. Et j'aimerais faire un petit détour en chemin. Vous me faites confiance ?

La question resta en suspens dans le silence de la forêt, seulement rompu par le clapotis des premières gouttes de pluie sur les feuilles.

Sa raison et sa logique lui répondaient bien évidemment que non, elle ne pouvait lui faire confiance.

Son cœur, en revanche, lui soufflait un message différent. Cade ne l'avait pas tuée quand il l'aurait pu. Quand il aurait dû. Au lieu de cela, il l'avait défendue.

Commandant de l'armée du Korosol. duc. Tendre et sauvage à la fois. Incroyablement séduisant. Il était un mystère qu'il faudrait une vie pour percer.

— Oui, murmura-t-elle, la pluie ruisselant à présent sur son visage. Oui, je vous fais confiance.

Cade parut se détendre et déposa sur ses lèvres un baiser de gratitude, riche de promesses.

— Merci.

Ellie n'aurait su dire pourquoi sa reconnaissance lui importait tant. Mais ce fut avec une énergie renouvelée qu'elle partit à sa suite. Et tandis qu'elle courait, elle fit de son mieux pour éviter de songer qu'en préférant écouter son cœur plutôt que sa tête, elle venait peut-être de se condamner à mort.

— Je déteste courir.

Ellie était allongée sur le ventre, dans la boue, pendant que Cade rampait jusqu'au sommet de la petite éminence qui dominait la cabine de Tony Costa. Elle n'aurait su dire ce qu'il espérait voir avec la pluie et les nuages qui masquaient la lune.

Elle n'était pas fâchée d'avoir pu enfin s'arrêter. Ses vêtements détrempés la moulaient comme une seconde peau. Ses jambes lui faisaient mal, ses poumons étaient en feu.

Cade redescendit enfin, et s'ébroua pour chasser l'eau de ses cheveux et de ses yeux.

— Vous tenez le coup ? Comment va votre mollet ?

Ellie fut touchée de voir qu'il se rappelait ce détail. Elle se redressa en position assise, essora sa natte et répondit :

— Tout va bien. Mais je ne suis pas sûre de pouvoir tenir très longtemps à ce rythme. Vous allez demander à ce pêcheur de nous conduire en ville ?

— Son véhicule n'est pas là.

Il ouvrit la bouche, comme pour ajouter quelque chose, mais la referma. Cela inquiéta Ellie.

— Quoi ?

— Ne vous en faites pas. J'ai un téléphone. J'appellerai moi-même une fois que nous aurons trouvé un abri pour la nuit. En attendant, c'est de provisions dont nous avons besoin.

Mais elle eut la distincte impression qu'il ne lui disait pas tout. Pouvait-elle faire confiance à quelqu'un qui lui mentait, même par omission ?

— Vous comptez voler de la nourriture à M. Costa ?

— Ça s'appelle de la survie, ma belle.

De nouveau, il posa une main sur sa joue, suivit du pouce le tracé de ses lèvres. Elle ferma les yeux, le cœur battant. L'appelait-il « ma belle » seulement pour endormir sa méfiance, ou ce mot lui était-il venu naturellement ? La trouvait-il seulement belle ? C'était hautement improbable, avec ces affreuses lunettes qu'elle en était venue elle-même à détester et ces vêtements d'homme trop grands pour elle et maculés de boue !

Cade se méprit sur le sens de son silence, car il se mit à rire et déclara :

— C'est bon, je laisserai de l'argent sur la table de la cuisine si c'est tellement important pour vous.

Elle le fixa un moment sans comprendre, puis se mit à rire. Cade parut d'abord dérouté, mais sourit largement. Il n'en parut que plus séduisant, et Ellie ne put s'empêcher de tendre une main vers lui, de la poser sur son cœur. Il la couvrit de la sienne.

— Ellie…

Il avait prononcé son nom d'une façon qui la troubla plus encore que la manière dont il avait dit « ma belle ». Au même instant, un éclair illumina le ciel, et un coup de tonnerre fracassa la nuit, l'arrachant brusquement à ses fantasmes. Elle était perdue au beau milieu d'une forêt avec un inconnu qui affirmait travailler pour le roi Easton, pourchassée par des brutes prêtes à tout. Cela suffit à réveiller son sens pratique.

— Que voulez-vous que je fasse ?

— Restez là, et ne bougez pas jusqu'à ce que je vienne vous chercher.

Ellie le suivit jusqu'en haut de l'éminence et se tapit dans l'herbe humide pour le regarder glisser le long de la pente, puis courir en zigzags jusqu'à la cabane. Il semblait glisser au-dessus du sol, tel un fantôme, et elle s'étonna qu'un homme aussi puissant physiquement puisse se déplacer avec une telle grâce. Malgré le danger et l'inconfort de sa situation, un frisson d'excitation la parcourut.

Il atteignit enfin le porche et, quelques secondes plus tard, disparut à l'intérieur de la maisonnette. Apparemment, il ne trouva pas immédiatement ce qu'il cherchait, car une minute entière s'écoula, puis une autre, puis encore une autre. Cade ne reparaissait toujours pas.

La patience d'Ellie s'usait rapidement, la nervosité la gagnait. Et dire que quatre jours plus tôt à peine, elle se contentait de répondre à des coups de téléphone et de taper des rapports ! Au moins, depuis qu'elle avait été enlevée, elle n'avait pas eu le temps de s'ennuyer !

C'était étrange comme un rien pouvait changer votre vision de la vie. Si du moins elle pouvait appeler « un rien » le fait d'avoir été kidnappée, enfermée dans une cave et d'avoir frôlé la mort à plusieurs reprises — sans parler du fait d'être tombée amoureuse d'un de ses ravisseurs.

— Sois patiente, se morigéna-t-elle.

Cela ne faisait que quelques minutes que Cade était parti, même si elles lui paraissaient des heures. Pourtant, comme le temps s'écoulait et qu'il ne revenait toujours pas, Ellie comprit qu'elle devait faire quelque chose, agir sous peine de devenir folle.

Il y avait sûrement un moyen de l'aider. Elle pouvait par exemple monter la garde, surveiller les environs pendant qu'il était dans la cabane.

Oui, c'était une excellente idée. Et même cette simple tâche l'aiderait à se sentir moins fébrile. Regardant autour d'elle, elle repéra malgré ses verres détrempés une grosse souche arrachée. L'arbre, en se déracinant, avait entraîné d'autres arbres dans sa chute et créé ce qui ressemblait à un abri naturel. Ellie décida d'aller reconnaître les lieux et, prenant soin de rester courbée, s'en approcha lentement.

Il faisait noir sous les branchages, et elle eut un sursaut d'effroi en s'apercevant qu'elle n'était pas seule dans l'abri.

— Mon Dieu, Lenny.

Ne pas montrer qu'elle avait peur. Et surtout, ne pas éveiller ses soupçons. Le géant fixait déjà sur elle un regard perplexe.

— Euh, Cade est juste dehors, reprit-elle. C'est lui qui m'a dit de venir là.

Il continua de la fixer sans ciller. Il tenait un pistolet pointé droit sur elle.

Un éclair illumina l'abri, et elle poussa un cri d'horreur. Puis elle plaqua ses mains sur ses lèvres pour étouffer un deuxième cri, alors qu'une série d'autres éclairs déchiraient le ciel.

Lenny était mort.

Assis sur un rocher, il tenait un stylo à la main. C'était ce qu'elle avait d'abord pris pour un pistolet. Il avait un petit trou au milieu du front.

Il avait sans doute été pris en train d'écrire et tué avant d'avoir eu le temps de comprendre ce qui lui arrivait. Ses yeux grands ouverts fixaient désormais l'éternité.

Seigneur, elle devait prévenir Cade. Et prier pour que personne ne l'ait entendue crier…

Forçant ses muscles à obéir, elle s'apprêtait à quitter l'abri lorsqu'elle remarqua quelque chose aux pieds de Lenny. Un carnet. Un petit carnet noir identique à celui qu'elle avait volé à Cade. Elle le mit dans sa poche et regagna l'éminence puis, sans s'arrêter, dévala la pente qui menait à la cabane du pêcheur.

— Cade ! appela-t-elle. Cade !

Un éclat lumineux, sur la droite, attira son regard. Cette fois, ce n'était pas un éclair. C'était des secours !

Tel un papillon attiré par une flamme, elle se mit à courir en direction des phares qui approchaient, agitant les bras au-dessus de sa tête.

— Arrêtez ! S'il vous plaît ! Par ici !

Il y eut un grincement de freins, un pick-up s'immobilisa à quelques mètres devant elle. Ellie s'arrêta, soulagée, tentant de reprendre son souffle. L'eau lui coulait dans les yeux, dans le cou, s'immisçait dans ses vêtements. Elle était épuisée.

Un éclair déchira le ciel, et elle rentra instinctivement la tête dans les épaules lorsque le tonnerre éclata. La nature tout entière paraissait être en colère, lutter contre un invisible ennemi.

— Ellie…!

Quelque part derrière elle, Cade cria, mais la fin de sa phrase fut noyée dans un nouveau roulement de tonnerre. Au même instant, la porte du pick-up s'ouvrit et une tignasse blanche apparut. Le pêcheur !

— Monsieur Costa !

Elle le vit se pencher à l'intérieur et crut qu'il allait remonter dans son véhicule.

— Non ! Je vous en prie ! Je ne suis pas folle ! Vous devez m'aider !

Une autre porte claqua. Celle de la cabane. Cade arriva en courant.

— Ellie !

Il ressemblait à une ombre mouvante, presque floue derrière le rideau de pluie.

— Monsieur Costa va nous emmener en ville ! cria-t-elle en se retournant. J'ai trouvé Lenny dans les bois ! Il est mort !

— Sortez de la lumière des phares !

Sortir des phares ? Ça n'avait aucun sens. Elle allait se retrouver dans le noir.

— Vous n'avez pas entendu ? cria-t-elle en retour. M. Costa va nous conduire en ville !

Ellie se tourna de nouveau vers le pêcheur, et hoqueta de stupeur.

Tony Costa avait sorti un fusil de son pick-up et était en train de la viser.

— Non !

Elle faisait une cible parfaite. Instinctivement, elle recula. Sa vision, comme décuplée par la peur, lui donna l'impression de voir jusqu'au fond du canon. Puis, juste au-dessus, dans les profondeurs de l'œil qui la visait.

Le doigt de Costa, comme au ralenti, glissa dans la gâchette, se posa sur la queue de détente.

Cade, Dieu merci, ne bougeait pas au ralenti. Il parut brièvement suspendu en l'air, comme photographié en plein vol dans le flash d'un éclair, puis il la percuta.

Un coup de tonnerre éclata. Non, corrigea-t-elle confusément, tout en roulant dans la boue. C'était un coup de feu.

Elle reprit brusquement conscience de la réalité. Elle était allongée dans une flaque, hors du faisceau des phares. Là, la nuit avait repris ses droits.

— Vous êtes touchée ? souffla une voix à son oreille.

Ecrasée sous le poids de Cade, la bouche couverte de boue, elle ne put que secouer la tête. Enfin, il se redressa, et elle put se remettre à respirer.

— Et vous ?

— Non. Au bateau !

Sa main se referma sur la sienne, y exerça une brève mais rassurante pression.

— Prête ?

Elle toussa, puis hocha la tête.

— On y va !

Ils piquèrent un sprint en direction du ponton. Un juron leur parvint, à travers la pluie, puis plusieurs détonations. Le bois de la jetée fut pulvérisé en quelques endroits, juste derrière eux, mais ils parvinrent jusqu'au bateau et bondirent à l'intérieur.

— Les amarres ! cria Cade tout en essayant de faire démarrer le moteur.

Ellie se jeta sur la grosse corde qui retenait le bateau au ponton. L'amarre était gorgée d'eau, dure comme de la pierre, et elle ne parvint qu'à s'y casser les ongles.

Le moteur rugit enfin. Redressant la tête, Ellie vit Tony Costa qui se précipitait dans leur direction. Déjà, le ponton tremblait sous ses pas. Les éclairs illuminaient sa silhouette par intermittence, arrachant des éclats aussi brefs que sinistres au canon poli de son arme.

— Ellie !

— Je fais ce que je peux !

Le nœud semblait complètement durci. Désespérée, Ellie regarda autour d'elle et vit ce dont elle avait besoin. Plongeant en avant, elle prit le couteau qui dépassait de la botte de Cade et attaqua de nouveau la corde. Un coup de feu explosa dans la nuit, et une balle vint se ficher dans le

160

bois de la coque. Elle l'ignora et continua sa besogne. Plus que quelques fibres et…

— Allez-y ! cria-t-elle.

Cade lança le moteur à pleine puissance. La barque bondit en avant et s'éloigna vers le large, prenant de la vitesse.

— Couchez-vous !

Elle se roula en boule au fond du bateau et y resta jusqu'à ce que les détonations cessent. Ce ne fut qu'après quelques minutes, lorsque Cade diminua le régime moteur, qu'elle osa enfin se redresser. Le ponton avait disparu dans la nuit.

Ellie se mit à respirer plus librement. Cade lui ouvrit ses bras, et elle s'y blottit.

— Pourquoi est-ce qu'il nous a tiré dessus ?

— La raison habituelle. Pour nous tuer.

Ellie parvint à sourire.

— Tout le monde veut donc ma mort ?

— Non. Pas moi. J'ai au contraire bien l'intention de vous garder en vie.

Elle le serra plus étroitement, profondément émue.

— Tony Costa est un mercenaire, reprit son compagnon. Un tireur d'élite. Je pense que Rademacher l'a engagé pour le débarrasser de Jerome, de Lenny et de moi, une fois la mission terminée. Il vous a ajoutée à la liste…

— … en comprenant que je n'étais pas une princesse, acheva Ellie.

Cade baissa les yeux vers elle et lui sourit. Malgré l'opacité de la nuit, elle lut dans son regard un message rassurant.

— Vous êtes une princesse pour moi. La façon dont vous affrontez l'adversité est même digne d'une reine. Je vais vous demander de tenir le coup encore un peu plus longtemps. Je vais appeler des secours, mais nous allons devoir trouver un endroit où nous cacher pour la nuit.

Comme elle, il paraissait épuisé. Elle posa sa joue sur son torse et le vit sortir un téléphone portable de sa poche, composer un numéro sous la pluie. Elle était si près de lui qu'elle entendait la ligne sonner.

— Allô ? fit une voix au bout du fil.

Ellie sentit Cade se crisper légèrement.

— Qu'est-ce qui ne va pas ? chuchota-t-elle.

Il la fit taire en mettant une main sur ses lèvres, et demanda dans leur langue natale :

— Des nouvelles du scandale ?

— Pardon ? fit la voix au bout du fil.

Cade reprit alors en anglais :

— Si le roi est là, veuillez lui dire que ses horaires de voyage ont changé.

Ellie comprit qu'il s'agissait d'un code, et entendit l'autre répondre :

— Très bien. Je transmettrai le message.

Cade raccrocha. Ellie leva vers lui un regard interrogateur.

— Qui était-ce ?

— Je ne sais pas, répondit-il avec un sourire crispé.

Puis il mit les gaz et bifurqua vers ce qu'elle supposait être le rivage, encore invisible dans la nuit.

11.

Easton Carradine, roi du Korosol, pénétra dans le bureau qu'il s'était fait aménager à l'ambassade. A temps pour voir Markus raccrocher un téléphone.

Le téléphone.

Il avança dans la pièce, aussi silencieux qu'un chat. Les domestiques n'étaient pas loin, et il pourrait toujours appeler au cas où…

Immobile sur le seuil, il vit son petit-fils ouvrir sa boîte à cigares et prendre l'un de ses havanes.

— Bonsoir, Markus.

L'intéressé tressaillit légèrement. Mais lorsqu'il se retourna, son habituel sourire charmeur flottait sur ses lèvres.

— Grand-père…

Le vieux monarque alla prendre place dans son fauteuil de cuir et demanda nonchalamment :

— Tu étais au téléphone ?

Markus prit tout son temps pour couper son cigare et l'allumer avant de répondre :

— J'attends un coup de fil professionnel, et je me suis permis de décrocher. C'était un faux numéro.

Easton plissa les yeux, soudain en alerte. Une seule personne avait ce numéro sécurisé. Il était presque impossible de le composer par erreur.

— Où est cette fille mal fagotée qui te sert de secrétaire ? s'enquit Markus en déboutonnant son blazer pour s'asseoir. Je veux lui demander de transférer mes appels ici.

Le roi crispa les doigts sur les accoudoirs de son fauteuil, si fort que ses phalanges blanchirent. Il aurait volontiers fait ravaler son cigare à Markus.

— Ellie a pris quelques jours de vacances. Elle voulait voir du pays avant de retourner au Korosol.

— Et ma chère cousine Lucia ? Cela fait plusieurs jours que je ne l'ai pas vue.

— Je suppose qu'elle est avec son mari. Certains Carradine ont le sens de la famille, eux.

— Bien sûr. Comme toi, qui as toujours été là pour nous voir grandir.

Puis, avant qu'Easton puisse répondre, il ajouta :

— Bon, je vais devoir te laisser. Je dois aller au Metropolitan Opera, ce soir.

— Je croyais que tu attendais un coup de fil ?

Markus sourit d'un air chafouin.

— Peut-être que je passais juste dire bonjour à mon cher grand-père ? M'enquérir de sa santé ? Tu ne m'as pas paru très bien, ces derniers temps. Comment vas-tu ? Je veux dire, *vraiment* ?

Il s'était penché en avant et le dévisageait avidement. Easton se leva, furieux. Il ne laisserait pas son petit-fils voir sa faiblesse.

— Ta sollicitude me touche, Markus. A présent, si ça ne te dérange pas, va retrouver tes amis et laisse-moi travailler. J'ai un pays à diriger.

Un mélange de douleur et de colère éclata dans le regard du jeune prince, et le roi songea un instant à s'excuser. Mais Markus exhala une bouffée de fumée et, lorsqu'elle se fut dissipée, Easton vit que son visage avait repris son masque affable. Il se leva et inclina la tête.

— Bonne nuit, grand-père.

Markus parti, Easton se laissa tomber dans son fauteuil. Le stress des jours précédents commençait à lui peser. Et cette rencontre avec son petit-fils venait de l'achever. Il se sentait faible, pris de vertiges. Si Ellie avait été là, elle l'aurait réconforté, lui aurait préparé une tasse de thé.

Mais si le coup de fil qu'avait intercepté Markus venait de Cade, cela signifiait peut-être qu'Ellie ne reviendrait jamais. Cassandra, si elle était vivante, ne lui pardonnerait pas d'avoir laissé une telle chose arriver.

Markus avait raison, d'une certaine façon… Il avait bien des fois fait passer son pays avant sa famille. Et d'une certaine façon, Ellie faisait partie elle aussi de cette grande famille. Elle lui était aussi chère et précieuse que ses petites-filles.

Diable, voilà que l'âge le rendait sentimental. Mais il ne faiblirait pas. Il devait protéger ses sujets.

Avec un regain de détermination, il décrocha son téléphone et appela son capitaine de la garde royale, Devon Montcalm.

— Devon ? Nous avons un problème. Rassemblez vos hommes.

— J'ai l'impression que je ne sécherai jamais…

Ellie, grelottante, tendit les mains vers la faible chaleur qu'exhalait un radiateur anémique. Cade avait dissimulé leur bateau parmi des roseaux, puis l'avait conduite jusqu'à un ancien motel dont il avait forcé la porte.

Pendant qu'il essayait de faire démarrer le groupe électrogène, Ellie avait exploré l'intérieur. C'était à croire que ses propriétaires avaient quitté les lieux brusquement, quelques mois auparavant, et n'étaient jamais revenus.

— Tenez.

Cade venait de réapparaître, et lui glissa une couverture autour des épaules. Puis il l'enlaça, lui communiquant toute la chaleur de son corps. Le premier réflexe d'Ellie fut de s'abandonner au sentiment de bien-être qui s'empara d'elle, mais sa raison revint en force

— Si vous travaillez pour le roi Easton, pourquoi ne pas m'avoir aidée plus tôt ? Vous m'avez laissée enchaînée pendant trois jours. Vous m'avez pourchassée quand je me suis enfuie. Vous avez laissé Jerome…

— Non ! protesta-t-il. Je suis peut-être arrivé à la dernière minute, mais je ne l'aurais pas laissé vous faire quoi que ce soit.

Elle se tourna vers lui, leva ses yeux vers les siens.

— Vous ne pouviez pas révéler votre véritable mission, c'est ça ?

— Ni risquer de trahir votre identité. J'avais besoin de savoir qui était derrière tout ça.

— Ce n'est pas Winston Rademacher ?

— Rademacher n'est qu'un exécutant. Un homme de main. Il y a un gros poisson derrière.

— Et vous pensez que cette personne pourrait s'attaquer au roi ?

Cade lui tendit une barre chocolatée qu'il avait trouvée dans un distributeur encore plein dans l'entrée, avant de répondre :

— Oui.

— Il a soixante-dix-huit ans, Cade ! Sa santé se dégrade !

— C'est vrai qu'il est âgé. Mais il est encore en pleine possession de ses moyens.

— Non, murmura Ellie. Je pense qu'il est mourant.

Cade fronça les sourcils.

— Mon Dieu, je ne m'en étais pas rendu compte. Il a toujours été très bon avec moi. Il m'a toujours traité avec respect, comme n'importe quel autre membre de la cour, même après…

Il s'interrompit, et Ellie acheva pour lui :

— Même après la mort de votre père.

— Oui.

— Je vais vous aider.

— Pardon ? fit Cade, dérouté.

— Vous n'êtes pas le seul patriote ici, commandant. Je vais vous aider, en tout cas dans la mesure de mes maigres moyens.

Cade sentit une bouffée de fierté monter en lui. Sans réfléchir, il prit Ellie dans ses bras et l'embrassa, l'embrassa jusqu'à entendre ce gémissement qui le rendait fou de désir.

Ils étaient seuls, en détresse, trempés. Un homme et une femme…

Une femme qui s'agrippait à lui et l'embrassait avec une passion égale à la sienne. Mais une femme sans expérience, vierge. Il ne pouvait pas se permettre de profiter de la situation.

Au prix d'un prodigieux effort de volonté, il recula. Il devait se concentrer sur son travail. Presque fébrilement, il sortit le carnet de Lenny de sa poche et le tendit à Ellie, ignorant son expression dépitée.

— Tenez, Sherlock. Voyez si vous pouvez décrypter ça puisque vous voulez m'aider.

La jeune femme était visiblement déconcertée par ce brusque changement d'humeur mais, comme d'habitude, elle s'avéra un merveilleux petit soldat. Elle ouvrit le carnet et commença de le parcourir, puis claqua soudain des doigts.

— Attendez. J'ai trouvé un autre carnet dans les mains de Lenny.

Puis elle fronça les sourcils et murmura :

— Vous allez vous occuper de lui ? Je veux dire, du corps ?

— Oui, je m'en chargerai.

— Vous avez dû voir beaucoup de choses affreuses dans votre vie, n'est-ce pas ?

Il ne répondit pas. Après avoir nettoyé la pièce où son père s'était suicidé, rien de ce qu'il avait vu ne lui avait plus paru insoutenable.

— Vous faites ça pour que des personnes comme moi soient en sécurité, reprit Ellie avec un sourire. Merci.

Puis elle se hissa sur la pointe des pieds et l'embrassa.

— Ellie…, murmura-t-il, profondément ému.

— Mettons-nous au travail, coupa-t-elle en désignant le carnet.

Cade inspira profondément. Oui, il ferait bien de suivre son conseil…

La jeune femme alla s'installer contre le lit et commença d'étudier le carnet. Cade la dévisagea en silence, se demandant pourquoi il ne prenait pas ses jambes à son cou. Ou pourquoi il ne la prenait pas dans ses bras. Pourquoi lui, qui avait tant d'expérience, avait tant à apprendre d'une femme qui en avait si peu.

Ellie se révéla d'une aide précieuse dans l'avancement de sa mission. Trois quarts d'heure plus tard, elle lui apprit que Lenny avait rejoint le Front démocratique du Korosol sitôt après avoir démissionné de l'armée. Il s'était engagé dans le complot pour enlever la princesse Lucia de son propre chef, estimant que la ligne du parti s'était adoucie.

Cade avait nettoyé son arme et l'avait rechargée lorsque Ellie atteignit enfin les dernières pages du dernier carnet.

— « W.R. » — je suppose qu'il s'agit de Winston Rademacher — « est entré chez Sonny à 16 heures », lut-elle à voix haute.

— Ce salaud a dû appeler de là pour nous dire que l'heure de la livraison avait changé. Il avait prévu de tous nous éliminer quoi qu'il arrive.

— En tout cas, le carnet de Lenny innocente le KDF. Il est clair qu'il a agi de sa propre initiative.

— Ce qui ne nous laisse qu'un suspect : Markus Carradine.

— C'est vrai que c'est lui qui a offert la robe rouge à Lucia, lui apprit Ellie.

— J'adore avoir raison, jubila Cade. Mais ça ne tiendra pas face à un tribunal. Ce n'est pas une preuve suffisante.

Il arma son pistolet, la mine soudain menaçante, et ajouta :

— Il ne me reste plus qu'à arracher une confession à Rademacher.

— Vous lui avez tiré dessus.

— Seulement dans l'épaule. Je ne l'ai pas tué.

— Mais Tony Costa est sans doute là-bas ! Vous ne pouvez pas y retourner !

Cade lui sourit et fit un clin d'œil.

— Vous voulez parier ?

12.

Ellie n'aurait jamais cru qu'elle reverrait de sitôt la maison où elle avait été gardée prisonnière pendant trois jours.

Elle redressa légèrement la tête, et la vieille bâtisse apparut au-dessus de l'herbe dans laquelle elle était tapie. Cade avait proposé de la ramener à New York, mais elle avait insisté pour l'accompagner là, arguant du fait que Rademacher pourrait en profiter pour disparaître.

La mission qui lui avait été attribuée était toute simple : monter la garde pendant que Cade explorait les environs et se glissait à l'intérieur.

Le cœur battant, elle adressa une prière silencieuse au ciel. « Mon Dieu, veille sur lui. »

Elle avait attendu vingt-six ans pour tomber amoureuse d'un homme. Elle ne voulait pas qu'il lui arrive quoi que ce soit alors qu'elle l'avait à peine rencontré !

Chaque minute qui passait lui en apprenait plus sur Cade. Et à chaque fois, elle l'aimait davantage. Mais elle avait encore tant de choses à découvrir !

— Allez, murmura-t-elle, gagnée par l'impatience.

Où était-il ? N'était-elle pas censée entendre des éclats de voix ? Ou, pire encore, des coups de feu ?

Ils étaient venus capturer leurs ennemis. Mais où étaient-ils ?

Comme en réponse à sa question, la porte de derrière s'ouvrit violemment et Jerome apparut. Cade le tenait par le col et l'envoya contre un tronc d'arbre.

— Je te dis que je ne sais pas où il est ! geignit son ancien acolyte, rampant à terre.

Cade s'agenouilla près de lui, la mâchoire crispée, la mine sombre.

— Tu sais quel est le rôle de Tony Costa, n'est-ce pas ?

— C'est le plan B du patron. Au cas où quelqu'un comme toi déciderait de faire cavalier seul.

Ellie savait qu'elle n'aurait pas dû, mais elle éprouva une noire satisfaction à voir Cade saisir de nouveau Jerome et le projeter comme un vulgaire sac contre le mur de la maison.

— Est-ce que tu as vu notre ami Lenny récemment ?

— Pas depuis hier soir…

— Et tu veux savoir pourquoi ? Parce que je l'ai envoyé surveiller Sonny, et que Sonny l'a trouvé le premier. Lenny est mort. Les prochains sur la liste, c'est toi et moi.

Jerome parut considérer la chose, puis déclara :

— Rademacher et Sonny sont partis à Goshen chercher un médecin.

— Faux. La camionnette de Sonny est toujours chez lui, et le 4x4 de Rademacher est là.

Malgré la distance, Ellie vit Jerome pâlir. Aussitôt, elle comprit. Rademacher et Sonny n'étaient pas loin. Cade dut le comprendre aussi, car il appela :

— Ellie !

Elle voulut se lever, mais un objet rond et froid se posa sur sa tempe.

— Mademoiselle Standish, quel plaisir de vous retrouver ! J'ai justement besoin de vous.

Winston Rademacher était habillé comme la veille, à ceci près que ses vêtements étaient maculés de poussière, de boue et de sang. Il portait un bandage sommaire autour de l'épaule.

— Levez les mains et ne faites pas d'histoire.

Ellie obéit, tremblante, et avança vers la maison lorsque Winston la poussa. Aussitôt, Cade libéra Jerome, qui s'effondra à terre en se tenant la cheville.

— Lâchez votre arme ! lança Winston comme Cade se tournait vers lui, sans trahir la moindre émotion.

— Libérez-la d'abord.

Rademacher partit d'un rire sec, pareil à un coup de fouet. Ellie entendit un déclic, tout contre son oreille, comme il armait son pistolet.

— Lâchez votre arme ou je la descends.

— Non ! cria Ellie. Sonny est quelque part ! N'obéissez pas !

Mais Cade, très lentement, déposa son arme à ses pieds. Puis il leva lentement les bras.

— Parfait, Sinjun. A présent, vous allez appeler le roi Easton et confesser que vous avez retourné votre veste. Que vous n'avez pas pu résister à la somme que nous vous avons proposée. Tel père, tel fils, pourrait-on dire. Et si vous n'êtes pas convaincant, je la tue.

— Si vous touchez à un seul de ses cheveux, vous êtes mort.

— Dans ce cas, vous mourrez aussi. Car je suis le seul à pouvoir suspendre le contrat que j'ai mis sur votre tête et sur celle de Mlle Standish. Sonny se fera un plaisir de l'exécuter.

Cade regarda Ellie. Elle lut du regret dans ses yeux, et il se dirigea vers le 4x4.

— Non ! se récria-t-elle.

Mais il l'ignora, prit le téléphone portable de Winston et composa un numéro, sans la quitter des yeux.

C'était cela ! Si seulement elle parvenait à communiquer avec lui par la seule force de son regard…

Une fois, deux fois, elle regarda en direction de Winston. Cade fronça légèrement les sourcils. Parfait, il l'avait remarquée…

Elle marcha ensuite discrètement sur son lacet pour le défaire. Au même moment, quelqu'un dut décrocher car Cade déclara :

— Ici St. John. Je voudrais parler au roi Easton.

— Je peux refaire mon lacet ? demanda Ellie à Rademacher.

Il lui jeta un regard surpris, puis hocha impatiemment la tête. Ellie s'agenouilla. Mais au lieu de faire son lacet, elle prit une poignée de terre, de gravillons et de poussière.

— Mais qu'est-ce que vous…

Sans lui laisser le temps de finir sa phrase, elle lui jeta la terre dans les yeux. Vif comme l'éclair, Cade lâcha le téléphone et plongea sur Winston. Un coup de feu retentit. Ellie hurla.

Il y eut un bref combat, des cris, un grognement de douleur. Lorsque la poussière retomba enfin, Cade était debout, son couteau à la main. Son adversaire gisait à ses pieds.

— Espèce d'idiote, maugréa-t-il. Il aurait pu vous tuer ! Vous avez pris un énorme risque !

— Je savais que vous me sauveriez.

Une voix râlante les interrompit.

— Comme c'est touchant…

Même mourant, Winston avait encore la force d'ironiser. Cade s'agenouilla près de lui et regarda la tache de sang grandissante qui maculait sa chemise. Cela devait le rendre fou. Parfait.

— C'est le prince Markus qui t'a engagé, n'est-ce pas ?

Les yeux de Winston se fermèrent doucement. Cade le secoua.

— Réponds-moi, bon sang ! La partie est finie pour toi !

Les yeux de Winston se rouvrirent une dernière fois, et un rictus étira ses lèvres sanglantes.

— Va au diable.

— Toi d'abord.

Winston eut un rictus de douleur, puis son visage se figea.

— Il est mort ? murmura Ellie.

Cade acquiesça. Il venait de perdre sa dernière chance d'incriminer le prince Markus. Mais sa mission n'était pas terminée pour autant.

— Allons-y avant que Tony Costa ne nous trouve.

Il tendit la main vers Ellie et…

Bang !

Une balle lui traversa l'épaule. Il s'effondra.

— Cade !

En entendant Ellie hurler, il sut qu'il avait été touché. Son corps était en feu. Il tenta désespérément de se repérer dans l'espace, mais tout tournait autour de lui. Rademacher avait une arme. Il devait la retrouver.

Là ! Il la vit, abandonnée sur le gravier près du pied gauche de Winston. Il rampa, tendit la main vers elle…

Mais une botte noire lui écrasa les doigts. Il lâcha un juron de frustration, ignorant la douleur. Puis il leva les yeux vers le visage tanné de Sonny, encadré de cheveux d'une blancheur de neige. L'autre lui sourit et pointa son arme vers lui.

Deux coups de feu retentirent. Cade se crispa puis, stupéfait, constata qu'il n'avait pas été touché.

Deux taches rouges, en revanche, s'épanouissaient telles des fleurs mortelles sur la poitrine de Sonny. Ce dernier s'effondra, révélant la silhouette tremblante d'Ellie.

— Costa aurait dû m'aider quand il en a eu l'occasion.

Cade se leva péniblement et alla vers elle. Il lui ôta précautionneusement son arme et l'attira tout contre lui. Presque aussitôt, un bruit de cavalcade se fit entendre et il se retourna, prêt à protéger Ellie au mépris de sa propre vie.

Il reconnut aussitôt l'homme aux cheveux bruns. C'était Devon Montcalm, capitaine de la garde royale du Korosol. Quatre hommes en treillis noir, armés jusqu'aux dents, sortirent du bois derrière lui.

— Je vois que j'ai manqué le meilleur de l'action, déclara Devon en rengainant son arme.

Un cinquième homme contourna la cabane, poussant Jerome menotté devant lui.

C'était fini.

Cade savait qu'il avait échoué. Il n'avait pu prouver la responsabilité du prince Markus dans l'enlèvement. Mais il avait sauvé Ellie. Et de cela, il aurait dû se réjouir.

Mais tandis que les hommes du roi s'activaient autour d'eux, une intense sensation de tristesse l'envahit. Il allait perdre Ellie.

Car il savait qu'il n'avait pas de place dans sa vie dans le monde qu'ils allaient retrouver…

Le roi Easton regarda Nick serrer sa sœur dans ses bras.

— Dieu merci, tu es saine et sauve ! s'exclamait celui-ci.

Une petite foule attendait derrière lui pour étreindre Ellie et la féliciter. Toutes les Carradine, leurs maris, Charlotte, le personnel de l'ambassade.

Non loin de là se tenait Cade St. John. D'ordinaire, Cade avait toujours l'air de rentrer d'une mission. Mais ce soir, il avait particulièrement besoin d'une bonne douche, d'un rasage et d'un changement de vêtements. Il était couvert de poussière, de boue, de sang, et une étrange tristesse voilait son regard. Peut-être était-il temps qu'il abandonné les entreprises dangereuses où il risquait sa vie pour apprendre à être heureux, songea Easton.

Au même moment, les yeux de Cade s'illuminèrent. Suivant son regard, le roi aperçut Ellie. Il vit qu'elle regardait également le commandant, malgré le monde qui se pressait autour d'elle.

Il ne fallut pas longtemps au monarque pour comprendre. Un sourire étira ses lèvres. Peut-être allait-il perdre sa secrétaire préférée, après tout. Mais cette fois, ce serait pour une bonne cause !

Une heure plus tard, chacun était rentré chez soi. Seuls demeurèrent à l'ambassade Cade, Ellie et Nick. Easton écouta le rapport de son plus fidèle agent et hocha la tête lorsque Cade lui fit part de son intime conviction que Markus était derrière cette affaire. Malheureusement, en l'absence de preuves tangibles, il était impossible d'agir.

Mais cela renforça le monarque dans sa résolution de ne jamais céder le trône à son petit-fils.

Puis il entraîna Ellie, malgré les récriminations de son frère, vers le balcon. Il devait lui parler seul à seule.

— Tout va bien ? demanda sa secrétaire en l'étudiant. Vous avez l'air soucieux. Vous voulez que je vous prépare du thé ?

Easton faillit répondre oui, mais se retint à temps. Ce soir, c'était à lui de prendre soin de sa secrétaire, et non l'inverse.

— Ce ne sera pas nécessaire. Si j'ai l'air soucieux, c'est parce que je me suis inquiété pour vous.

— Je suis désolée.

Elle leva la main et lui caressa la joue, en un geste d'affection qu'elle ne se serait jamais permis quatre jours plus tôt à peine.

— Comme vous le savez, reprit-il en réprimant un sourire, je vais aller trouver mes autres petits-enfants. Ceux de mon second fils, James. Ils vivent dans le Wyoming.

— Nous quittons New York ?

Ellie parut déroutée par cette idée, alors qu'il avait toujours été entendu qu'elle l'accompagnerait.

— Oui, après-demain.

Easton n'avait jamais vraiment compris pourquoi James, un jour, était parti. Il s'était marié trois fois et avait eu quatre enfants avec ses deux dernières femmes.

— Tate et Tucker sont les deux fils aînés de James, expliqua-t-il à sa secrétaire. Dillon et Wyatt sont les plus jeunes. Peut-être l'un d'entre eux pourra-t-il apporter à la monarchie une touche de modernité.

— On dit que le Wyoming ressemble au Korosol, déclara pensivement Ellie.

Easton la prit par les épaules et la regarda droit dans les yeux.

— Ellie, je vous aime comme l'une de mes petites-filles. Si vous le voulez, je vous renvoie au Korosol. A moins que quelque chose ne vous retienne à New York ?

La jeune femme rougit légèrement, mais demanda d'un air innocent :

— Qu'est-ce qui pourrait me retenir ?

— Je l'ignore, mais si ce quelque chose ou quelqu'un est à l'ambassade, une voiture se tiendra à votre disposition pour vous y conduire dès ce soir.

Ellie hésita, puis il la vit hausser légèrement les épaules et sourire de toutes ses dents. A sa surprise, elle se hissa sur la pointe des pieds et l'embrassa sur la joue.

— Merci.

Elle s'engouffra à l'intérieur, laissant Easton se frotter la joue avec un sourire ravi.

Ellie prit l'ascenseur qui conduisait au dernier étage de l'ambassade, trépignant d'impatience. Une bonne douche et un shampoing lui avaient permis de redevenir présentable, mais elle n'avait pas pris la peine de s'habiller. Une chemise de nuit de soie et un épais peignoir en éponge lui tenaient lieu de robe de soirée pour monter voir Cade. Après tout, il l'avait vue avec des vêtements d'homme sales et trop grands pour elle pendant trois jours…

Elle avait longuement réfléchi, et décidé qu'il était temps d'agir. Elle avait toujours eu soif d'aventure, et ces derniers jours, loin d'étancher cette envie, l'avaient exacerbée. Cette nuit leur appartenait.

Bien sûr, elle avait peur. Et si elle s'était méprise sur le désir qu'elle avait cru lire dans les yeux de Cade ? Ce n'était pas parce qu'ils s'étaient embrassés qu'il avait envie d'aller plus loin…

Elle fit cependant taire ses doutes et marcha d'un pas décidé vers la porte. Il était temps de savoir. Temps de faire le grand saut dans l'inconnu.

Elle frappa et il ouvrit la porte presque aussitôt, comme s'il s'était tenu juste derrière le battant. Il portait pour tout vêtement un jean déboutonné. Ses cheveux mouillés indiquaient qu'il sortait lui aussi de la douche.

Presque malgré elle, Ellie baissa les yeux vers son bas-ventre, vers le premier bouton ouvert de son jean.

« Dis quelque chose, idiote. Dis-lui que tu l'aimes. »

— Ellie.

Il la prit dans ses bras et l'embrassa, tout en l'entraînant dans la pièce et en refermant la porte d'un coup de pied. C'était une sensation divine. Ellie s'agrippa à lui comme si sa vie en dépendait.

Puis, au moment où elle s'y attendait le moins, il la relâcha et contourna son immense bureau, comme s'il voulait l'interposer entre eux.

— Je… Vous voulez quelque chose à boire ?

Il était nerveux. Cadence St. John, duc de Raleigh, soldat d'élite et agent secret, était nerveux. Parfait.

— Je voulais simplement vous parler.

— Me parler ?

— Vous remercier de m'avoir sauvé la vie. Et d'avoir été là quand j'avais besoin de vous.

— Moi aussi, vous m'avez sauvé la vie, répondit Cade d'une voix rauque. Et je ne parle pas seulement de Tony Costa. Je parle aussi de ce qu'il y a là-dedans, ajouta-t-il en mettant une main sur son cœur. Je vous suis très reconnaissant.

Reconnaissant ?

Un frisson de colère parcourut Ellie. Ne méritait-elle pas mieux que de la reconnaissance ?

— Allez au diable, Cadence St. John.

— Ellie !

Sans réfléchir, elle laissa son peignoir glisser à terre, ne gardant que sa chemise de nuit, rendue presque transparente par une lampe placée derrière elle. Les yeux de Cade s'arrondirent de surprise, et il l'étudia avec une expression presque comique. A en juger par la déformation de son jean, elle produisait sur lui le résultat escompté…

Cela eut pour effet de dissiper ses dernières hésitations. D'un pas lent, elle contourna le bureau, s'approcha de Cade et l'embrassa à en perdre haleine.

Il lui sembla que de longues minutes s'écoulaient avant qu'elle n'émerge enfin de leur étreinte pour prendre une bouffée d'air salvatrice.

— Qu'est-ce qui me vaut un tel plaisir ? demanda Cade d'une voix rauque.

— Vous aviez besoin d'être embrassé par quelqu'un qui vous aime. Je préférais que ce soit moi.

Il la regarda avec ébahissement, et Ellie se sentit rougir. Peut-être n'était-elle pas assez sophistiquée.

— J'ai envie de coucher avec vous, ajouta-t-elle. De…

D'un doigt, il lui imposa le silence.

— Chut. Je préférais la première réponse. Ça ressemble davantage à mon Ellie.

Son Ellie ? Il ne lui laissa pas le temps de réfléchir au sens de cette phrase. Une nouvelle fois, il s'écarta d'elle pour fouiller dans un tiroir et lui tendit une liasse de documents.

— Regardez. Nos services juridiques ont exhumé une vieille loi qui permettait d'effacer les dettes du personnel militaire. Je peux repartir de zéro.

— C'est formidable !

Une lueur presque juvénile brillait dans les yeux de Cade. Presque aussitôt, il lui retira le document des mains et le remplaça par un autre.

— Et voici un fonds d'investissement que ma mère avait ouvert pour moi en partant, pour alléger sa culpabilité. Il y a là de quoi m'acheter un terrain. Et Easton m'a proposé un poste ! Il vient de me nommer officiellement ambassadeur du Korosol aux Etats-Unis !

— C'est merveilleux, Cade !

— Mais il me manque toujours ce que je désire le plus.

— Quoi donc ?

— Vous.

Avait-elle bien entendu ?

— Vous voulez dire que vous…

— Je vous aime. Je vous aime depuis l'instant où je vous ai vue, dans cette cave.

Il glissa ses doigts dans ses cheveux et reprit :

— Si vous m'en laissez le temps, je laverai le nom des St. John, et je pourrai vous épouser. Si vous voulez bien attendre.

Ellie eut un rire étranglé. Des larmes lui montèrent aux yeux, brouillant sa vision.

— Et dire que je m'imaginais que c'était moi qui n'y connaissais rien en matière de relations… Non, je ne veux pas attendre.

Mais il se méprit sur le sens de ce qu'elle voulait dire, car son sourire s'évanouit. Il baissa la tête et lui lâcha les mains.

— Je comprends.

— Non, je ne crois pas. Je vous aime.

Il redressa brusquement la tête et la dévisagea d'un air méfiant, comme s'il se refusait à y croire.

— Vous m'aimez ? Après tout ce que je vous ai fait ?

— Vous m'avez rendu mes lunettes. Nourrie. Protégée de Jerome. Sauvé la vie. Vous me rendez heureuse. Et vous savez quoi ?

— Dites-moi.

— Il est plus de minuit, je ne me suis pas changée en citrouille et vous êtes toujours mon prince charmant. Alors embrassez-moi.

— Je vous aime, Ellie Standish.

— Moi aussi.

Jamais elle n'aurait cru qu'elle ferait l'amour pour la première fois sur un bureau. Jamais elle n'aurait cru qu'il était possible de connaître un plaisir si intense et d'y survivre. Toute la littérature qu'elle avait consultée sur le sujet s'effaça soudain de son esprit lorsque Cade la pénétra doucement. Elle sentit tout son corps s'ouvrir pour l'accueillir, s'ajuster à cette merveilleuse et puissante invasion.

La nuit se brisa en fragments multicolores comme d'invisibles vagues l'emportaient, une fois, deux fois, trois fois. Ses sens étaient exacerbés, ses yeux ouverts sur d'autres horizons. Elle était la femme la plus heureuse du monde.

Un peu plus tard, ils testèrent le canapé. Plus tard encore, Cade la transporta jusqu'à son lit.

Le matin venu, Ellie s'arracha enfin aux bras de l'homme qu'elle aimait, et qui le lui rendait si bien, pour passer un coup de fil à son amie d'enfance Jillian Grace.

— Tu vas l'adorer, Jilly. Le roi Easton est le plus gentil des hommes. Travailler pour lui est un vrai plaisir. Et comme tu as toujours voulu voyager, c'est l'occasion rêvée de venir aux Etats-Unis.

Cade apparut derrière elle, nu comme un ver, et l'enlaça.

— Tu recrutes ta remplaçante ? chuchota-t-il. N'oublie pas de l'inviter au mariage.

Après un bref salut à son amie, Ellie raccrocha et se tourna vers lui, dans le cercle de ses bras.

— C'est déjà fait, qu'est-ce que tu crois ?

— Tu es bien sûre que tu veux abandonner un roi pour te contenter d'un petit duc ?

— Je ne me contente de rien du tout. A mes yeux, tu n'es ni duc, ni commandant, ni même ambassadeur. Tu es l'homme que j'aime, et c'est tout ce qui compte.

Cade l'embrassa, visiblement ému, puis murmura tout contre ses lèvres :

— Et toi, tu seras toujours ma princesse.

Le nouveau visage
de la collection Or

◆

AMOURS D'AUJOURD'HUI

Afin de mieux exprimer sa modernité et de vous séduire encore davantage, votre collection Or a changé de couverture et de nom depuis le 1er mars 1995.

Rassurez-vous, les romans, eux, ne changent pas, et vous pourrez retrouver dans la collection **Amours d'Aujourd'hui** tous vos auteurs préférés.

Comme chaque mois, en effet, vous y attendent des héros d'aujourd'hui, aux prises avec des passions fortes et des situations difficiles...

COLLECTION
AMOURS D'AUJOURD'HUI :
Quand l'amour guérit des blessures de la vie...

Chère lectrice,

Vous nous êtes fidèle depuis longtemps?
Vous venez de faire notre connaissance?

C'est pour votre plaisir que nous avons
imaginé un rendez-vous chaque mois
avec vos auteurs préférés, vos
AUTEURS VEDETTE dans les
collections Azur et Horizon.

Les AUTEURS VEDETTE vous
donneront rendez-vous pour de
nouveaux livres vedette.

Pour les reconnaître, cherchez
l'étoile ... Elle vous guidera!

Éditions Harlequin

HARLEQUIN

LE FORUM DES LECTEURS ET LECTRICES

CHERS(ES) LECTEURS ET LECTRICES,

VOUS NOUS ETES FIDÈLES DEPUIS LONGTEMPS?

VOUS VENEZ DE FAIRE NOTRE CONNAISSANCE?

SI VOUS AVEZ DES COMMENTAIRES, DES CRITIQUES À
FORMULER, DES SUGGESTIONS À OFFRIR, N'HÉSITEZ
PAS... ÉCRIVEZ-NOUS À:
> LES ENTERPRISES HARLEQUIN LTÉE.
> 498 RUE ODILE
> FABREVILLE, LAVAL, QUÉBEC.
> H7R 5X1

C'EST AVEC VOS PRÉCIEUX COMMENTAIRES QUE NOUS
ALLONS POUVOIR MIEUX VOUS SERVIR.

DE PLUS, SI VOUS DÉSIREZ RECEVOIR UNE OU
PLUSIEURS DE VOS SÉRIES HARLEQUIN PRÉFÉRÉE(S)
À VOTRE DOMICILE, NE TARDEZ PAS À CONTACTER LE
SERVICE D'ABONNEMENT; EN APPELANT AU
(514) 875-4444 (RÉGION DE MONTRÉAL) OU 1-800-667-4444
(EXTÉRIEUR DE MONTRÉAL) OU TÉLÉCOPIEUR
(514) 523-4444 OU COURRIER ELECTRONIQUE:
AQCOURRIER@ABONNEMENT.QC.CA OU EN ÉCRIVANT À:
> ABONNEMENT QUÉBEC
> 525 RUE LOUIS-PASTEUR
> BOUCHERVILLE, QUÉBEC
> J4B 8E7

MERCI, À L'AVANCE, DE VOTRE COOPÉRATION.

BONNE LECTURE.

HARLEQUIN.

VOTRE PASSEPORT POUR LE MONDE DE L'AMOUR.

<u>COLLECTION HORIZON</u>

Des histoires d'amour romantiques qui vous mènent au bout du monde!

Découvrez la passion et les vives émotions qu'apportent à la Collection Horizon des auteurs de renommée internationale!

Captivantes, voire irrésistibles, ces histoires d'amour vous iront assurément droit au coeur.

Surveillez nos trois nouveaux titres chaque mois!

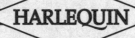

♉ Ⅱ ♋ ♌
♈ ♎
69 **L'ASTROLOGIE EN DIRECT**
TOUT AU LONG
DE L'ANNÉE.

(France métropolitaine uniquement)
Par téléphone 08.92.68.41.01
0,34 € la minute (Serveur SCESI).

Composé et édité par les
éditions Harlequin
Achevé d'imprimer en septembre 2004

BUSSIÈRE

GROUPE CPI

à Saint-Amand-Montrond (Cher)
Dépôt légal : octobre 2004
N° d'imprimeur : 44151 — N° d'éditeur : 10817

Imprimé en France